CUCINARE IL FORMAGGIO PER PRINCIPIANTI

50 RICETTE FACILI E DIVERTENTI

PER UNO STILE DI VITA SANO

ANTONIA CUBEDUU

Tutti i diritti riservati.

Disclaimer

Le informazioni contenute in i intendono servire come una raccolta completa di strategie sulle quali l'autore di questo eBook ha svolto delle ricerche. Riassunti, strategie, suggerimenti e trucchi sono solo raccomandazioni dell'autore e la lettura di questo eBook non garantisce che i propri risultati rispecchieranno esattamente i risultati dell'autore. L'autore dell'eBook ha compiuto ogni ragionevole sforzo per fornire informazioni aggiornate e accurate ai lettori dell'eBook. L'autore e i suoi associati non saranno ritenuti responsabili per eventuali errori o omissioni involontarie che possono essere trovati. Il materiale nell'eBook può includere informazioni di terzi. I materiali di terze parti comprendono le opinioni espresse dai rispettivi proprietari. In quanto tale, l'autore dell'eBook non si assume alcuna responsabilità per materiale o opinioni di terzi. A causa del progresso di Internet o dei cambiamenti imprevisti nella politica aziendale e nelle linee guida per l'invio editoriale, ciò che è dichiarato come fatto al momento della stesura di questo documento potrebbe diventare obsoleto o inapplicabile in seguito.

SOMMARIO

INTRODUZIONE

Benvenuti nella produzione del formaggio!

Tutti amano il formaggio, ma cos'è veramente e perché non lo facciamo più spesso a casa.Il formaggio è un prodotto lattiero-caseario derivato dal latte che viene prodotto in una vasta gamma di sapori, consistenze e forme per coagulazione delle proteine del latte caseina. Comprende proteine e grassi del latte, di solito il latte di mucche, bufali, capre o pecore.

La maggior parte dei formaggi fatti in casa è prodotta con latte, batteri e caglio. Il formaggio può essere prodotto da quasi tutti i tipi di latte, inclusi mucca, capra, pecora e scremato, intero, crudo, pastorizzato e in polvere.

La produzione di formaggio in casa differisce dalla produzione di formaggio commerciale in scala e nella necessità di produrre prodotti duplicati esatti giorno dopo giorno per i mercati al dettaglio.

I produttori di formaggio commerciali utilizzano gli stessi ingredienti dei produttori di formaggio casalingo, ma devono ottenere certificazioni locali e seguire rigide normative. Se vuoi vendere il tuo formaggio, è importante che inizi producendo formaggio semplice.

Cosa rende ogni formaggio così diverso quando diversi tipi di formaggio utilizzano gli stessi ingredienti? A prima vista, può sembrare che diversi tipi di formaggio siano fatti allo stesso modo. Tuttavia, le differenze nel formaggio derivano da piccolissime variazioni nel processo. Il Cheddar e il Colby, ad esempio, sono molto simili all'inizio, ma Colby ha un passaggio in cui l'acqua viene aggiunta alla cagliata, causando un formaggio a più umidità rispetto al Cheddar.

Alcuni altri fattori che giocano un ruolo nel formaggio finale includono la quantità di coltura, il tempo di maturazione, la quantità di caglio, la dimensione della cagliata, la durata e l'altezza del riscaldamento del latte, il periodo di tempo in cui la cagliata viene mescolata e il modo in cui il siero di latte è rimosso. Piccoli cambiamenti in una qualsiasi di queste aree possono fare una differenza drammatica nel formaggio finale.

La resa del formaggio da un gallone di latte è di circa una libbra per il formaggio a pasta dura e due libbre per il formaggio a pasta molle.

Quando acquisti prodotti per la produzione del formaggio, è una buona idea trovare prima una ricetta per la produzione del formaggio, quindi iniziare a fare un elenco degli ingredienti e delle attrezzature di cui avrai bisogno per fare il tuo formaggio.

FORMAGGI RICOPERTI E RUBBED

1. Brin d'Amour

FA 1 libbra

- 2 litri di latte di capra pastorizzato
- 2 litri di latte vaccino intero pastorizzato
- ¼ di cucchiaino di coltura starter mesofila in polvere MA 4001
- 1 cucchiaino di cloruro di calcio diluito in ¼ di tazza di acqua fredda non clorata
- 1 cucchiaino di caglio liquido diluito in ¼ di tazza di acqua fredda non clorata

- 2 cucchiaini   ne sale marino
- 1 cucchiaino e mezzo di timo essiccato
- 1 cucchiaino e mezzo di origano essiccato
- 1 cucchiaino e mezzo di santoreggia essiccata
- 1 cucchiaino e mezzo di erbe di Provenza

- 3 cucchiai di rosmarino essiccato
- 1 cucchiaino di paprika
- 1 cucchiaino di semi di coriandolo interi
- 1 cucchiaino di pepe in grani interi misti
- 1 cucchiaino di bacche di ginepro intere
- 2 cucchiaini di olio d'oliva

1. In una pentola non reattiva da 6 quarti, riscaldare il latte a fuoco basso a 30 ° C; questo dovrebbe richiedere circa 15 minuti. Spegni il fuoco.

2. Cospargere lo starter sul latte e lasciarlo reidratare per 5 minuti. Mescolare bene usando una frusta con un movimento su e giù. Aggiungere il cloruro di calcio e mescolare delicatamente, quindi aggiungere il caglio allo stesso modo.

3. Copri e mantieni i 72 ° F, lasciando maturare il latte per 8 ore, o fino a quando la cagliata non forma una grande massa, la consistenza di uno yogurt denso e di siero di latte chiaro aleggia intorno ai lati della pentola. Controlla la cagliata per una rottura pulita. Se il bordo tagliato è pulito, la cagliata è pronta.

4. Metti un colino su una ciotola o un secchio abbastanza grande da catturare il siero di latte. Foderalo con mussola al burro umida. Tagliare delicatamente fette di ½ pollice di spessore della cagliata usando un mestolo o una schiumarola e versare delicatamente le fette nel colino. Gettare delicatamente la cagliata con 1 cucchiaino

di sale, quindi legare la mussola in un sacco scolante e appenderla per lasciarla scolare a temperatura ambiente per 6-10 ore, finché il siero non smette di gocciolare.

5. Più a lungo si scolerà la cagliata, più secco sarà il formaggio finito. In alternativa, puoi scolare la cagliata appendendola per 45 minuti, quindi spostando il sacco in uno stampo Camembert da 4 pollici senza fondo, posto su uno scolapiatti. Scolare e maturare nello stampo per 6-10 ore, unendo la cagliata una volta durante il processo di scolatura e cospargendo il restante cucchiaino di sale sulla superficie del formaggio.

6. Se non si utilizza lo stampo per la forma finale, trasferire il sacco su un piano di lavoro pulito e arrotolare la cagliata in una palla, quindi attenuare leggermente con le mani. Aprire il sacchetto e cospargere il restante cucchiaino di sale sul formaggio e strofinarlo leggermente sulla superficie. Mettere il formaggio su una griglia scolante a temperatura ambiente per 8 ore per consentire al sale di essere assorbito nel formaggio e di liberare l'umidità in eccesso. Continuare ad asciugare all'aria per un totale di 24 ore o fino a quando la superficie è asciutta.

7. Unisci le erbe e le spezie in una piccola ciotola. Asciugare il formaggio da qualsiasi umidità, quindi strofinare accuratamente con l'olio d'oliva. Stendere uno strato della miscela di erbe su un foglio di carta da forno o carta oleata e arrotolare il formaggio nella miscela per ricoprire, quindi premere delicatamente le erbe in modo che aderiscano alla superficie del formaggio. Riserva le erbe inutilizzate.

8.   Coprire il formaggio con pellicola trasparente e metterlo in una scatola di stagionatura a una temperatura compresa tra 10 e 55 ° F e un'umidità compresa tra l'80 e l'85% per 3 giorni. Rimuovere l'involucro di plastica, ricoprire con altre erbe se necessario e riporlo in una scatola di maturazione a una temperatura compresa tra 50 ° F e 55 ° F per altri 27 giorni. Il formaggio sarà pronto da mangiare a questo punto o potrà essere stagionato per un altro mese.

2. Formaggio Jack secco strofinato al cacao

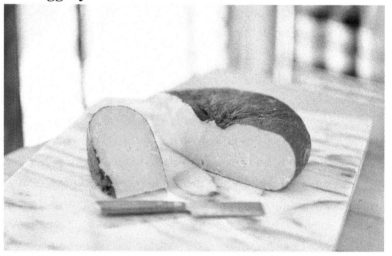

FA 2 libbre

- 2 galloni di latte vaccino intero pastorizzato
- 1 cucchiaino di coltura starter mesofila in polvere MA 4001
- 1 cucchiaino di cloruro di calcio diluito in ¼ di tazza di acqua fredda non clorata
- 1 cucchiaino di caglio liquido diluito in ¼ di tazza di acqua fredda non clorata

- Sale kosher (preferibilmente di marca Diamond Crystal) o sale al formaggio
- 2 cucchiai di cacao in polvere
- 2 cucchiaini di caffè espresso istantaneo
- 1 cucchiaino e mezzo di pepe nero macinato finemente
- 4 ½ cucchiaini di olio d'oliva

1. In una pentola non reattiva da 10 quarti, riscaldare il latte a fuoco basso a 30 ° C; questo dovrebbe richiedere circa 15 minuti. Spegnere   il calore.

2.   Cospargere lo starter sul latte e lasciarlo reidratare per 5 minuti. Mescolare bene usando una frusta con un movimento su e giù. Copri e mantieni la temperatura di 30 ° C, lasciando maturare il latte per 1 ora. Aggiungere il cloruro di calcio e mescolare delicatamente per 1 minuto. Aggiungere il caglio e mescolare delicatamente per 1 minuto. Copri e lascia riposare, mantenendo 30 ° C per 30-45minuti, o fino a quando la cagliata non dà una rottura netta.

3.   Mantenendo ancora gli 86 °F, tagliare la cagliata in pezzi da ¾ di pollice e lasciare riposare per 5 minuti. A fuoco basso, porta lentamente la cagliata a 102 ° F per 40 minuti, mescolando continuamente per evitare che la cagliata si stuoia insieme. La cagliata rilascerà siero di latte, aumenterà leggermente e si restringerà fino alle dimensioni dei fagioli secchi. Mantenere i 40 ° C e lasciare riposare la cagliata indisturbata per 30 minuti; affonderanno fino in fondo.

4.   Mestola abbastanza siero di latte per esporre la cagliata. Sempre mantenendo la temperatura, mescola

continuamente per 15-20 minuti, o fino a quando la cagliata non è opaca e aderisce insieme quando viene premuta in mano.

5.   Metti un colino su una ciotola o un secchio abbastanza grande da catturare il siero di latte. Foderatela con mussola di burro umida e versateci dentro la cagliataLasciar scolare per 5 minuti, poi cospargere con 1 cucchiaio di sale e mescolare delicatamente e accuratamente con le mani.

6.   Disegna le estremità del panno insieme e attorciglia per formare una palla per aiutare a spremere l'umidità in eccesso. Fai rotolare la palla su una superficie Pat per rilasciare più siero di latte. Legare la parte superiore del sacco di stoffa, premerlo con le maniper attenuare leggermente, e posizionarlo su un tagliere appoggiato sopra uno scolapiatti. Metti un secondo tagliere sopra il sacco Iattened e metti un peso di 8 libbre direttamente sul formaggio. Premere a 75 ° F a 85 ° F per 6 ore per Jack umido o 8 ore per Jack più asciutto.

7.   Togli il formaggio dal sacco e asciugalo tamponando. Strofinare con 1 cucchiaio di sale e porre su una griglia scolapiatti ad asciugare all'aria per 8 ore.

8.   Preparare 3 quarti di salamoia satura (vedere la tabella della salamoia) e raffreddare a una temperatura compresa tra 50 ° F e 55 ° F. Mettere il formaggio nella salamoia e immergerlo a una temperatura compresa tra 10 e 55 ° F per 8 ore, facendolo cuocere una volta durante quel periodo. Togliere dalla salamoia, asciugare tamponando e

asciugare all'aria su una griglia a temperatura ambiente per ore o fino a quando la superficie è asciutta al tatto. Capovolgi una volta durante questo periodo di asciugatura.

9.   Posizionare il formaggio su una stuoia di formaggio in una scatola di stagionatura a una temperatura compresa tra 10 e 55 ° F e l'85% di umidità per 1 settimana, cuocendo il formaggio ogni giorno per una maturazione uniforme.

10.   Unisci il cacao, l'espresso e il pepe in una piccola ciotola. Aggiungere l'olio d'oliva e mescolare per amalgamare. Strofina un quarto della miscela di cacao su tutto il formaggio. Posizionare il formaggio su una griglia in modo che l'aria circoli tutt'intorno, quindi continuare a maturare a una temperatura compresa tra 10 e 55 ° F durante la notte. Ripeti il processo di sfregamento e asciugatura all'aria ogni giorno per altri 3 giorni, quindi stagiona il formaggio a 60 ° F e al 75% di umidità per 2 mesi, ribaltando due volte a settimana.

11. Avvolgere in carta da formaggio e conservare in frigorifero fino al momento di mangiare - fino a 10 mesi o, per un sapore molto ricco e profondo, fino a 2 anni, se puoi aspettare così a lungo! Una volta aperto, il formaggio si seccherà e si indurirà col passare del tempo, creando un meraviglioso formaggio da grattugia.

3. Lavender Mist Chèvre

PRODUCE sei dischi da 4 once

- 1 gallone di latte di capra pastorizzato
- ¼ di cucchiaino di coltura starter mesofila in polvere MA 4001
- 1 cucchiaino di cloruro di calcio diluito in ¼ di tazza di acqua fredda non clorata
- 1 cucchiaino di caglio liquido diluito in ¼ di tazza di acqua fredda non clorata
- 1 cucchiaino di sale marino Vne
- ½ cucchiaino di polline di finocchio in polvere
- ¼ di cucchiaino di lavanda macinata o boccioli di lavanda

1. In una pentola non reattiva da 6 quarti, riscaldare il latte a fuoco basso a 30 ° C; questo dovrebbe richiedere circa 15 minuti. Spegni il fuoco.

2. Cospargere lo starter sul latte e lasciarlo reidratare per 5 minuti. Mescolare bene usando una frusta con un movimento su e giù. Aggiungere il cloruro di calcio e frullare delicatamente, quindi incorporare il caglio nello stesso modo. Coprite e mantenete i 72 ° F, lasciando maturare il latte per 12 ore, o fino a quando la cagliata non avrà formato una grossa massa della consistenza di uno yogurt denso e di siero di latte chiarosta fluttuando intorno ai lati della pentola.

3. Metti un colino su una ciotola o un secchio abbastanza grande da catturare il siero di latte. Foderatela con mussola di burro umida e versate delicatamente la cagliata nel colino. Aggiungere ½ cucchiaino di sale e mescolare delicatamente per amalgamare. Legare le code del panno per formare un sacco drenante e appendere per lasciare scolare a temperatura ambiente per 6-12 ore.

4. Rimuovere il formaggio dal panno e modellarlo in sei dischi rotondi da 4 once. Cospargere il restante ½ cucchiaino di sale sulla superficie di ogni formaggio e strofinarlo leggermente sulla superficie. Mettere i formaggi su uno stendino a temperatura ambiente per 4 ore per permettere loro di assorbire il sale e rilasciare l'umidità in eccesso.

5. Unisci il polline di finocchio e la lavanda in una piccola ciotola. Asciugare i formaggi tamponando, quindi adagiarli su una sfogliacarta pergamena o cerata e spolverare tutti i lati con la miscela di erbe.

6. Posizionare i formaggi su una griglia e lasciar riposare a temperatura ambiente per 1 ora, quindi avvolgere ogni formaggio nella pellicola trasparente e conservare in frigorifero per almeno 3 giorni per consentire agli aromi dello sfregamento di infondere il formaggio e fino a 10 giorni.

4. Montasio Strofinato al Miele

FA 2 libbre

- Latte vaccino pastorizzato a ridotto contenuto di grassi (2%) da 1 gallone
- 1 gallone di latte di capra pastorizzato
- 1 cucchiaino di coltura starter termofila in polvere Thermo C
- 1 cucchiaino di cloruro di calcio diluito in ¼ di tazza di acqua fredda non clorata
- 1 cucchiaino di caglio liquido diluito in ¼ di tazza di acqua fredda non clorata

- 3 cucchiaini   ake sale marino (o sale marino dell'Himalaya)
- Sale kosher (preferibilmente di marca Diamond Crystal) o sale di formaggio per la salamoia
- 3 cucchiai di miele

1. In una pentola non reattiva da 10 quarti, riscaldare il latte a fuoco basso a 90 ° F; questo dovrebbe richiedere circa 20 minuti. Spegnere il fuoco.
2.   Cospargere lo starter sul latte e lasciarlo reidratare per 5 minuti. Mescolare bene usando una frusta con un movimento su e giù. Coprite e mantenete a 90 ° F, lasciando maturare il latte per 45 minuti. Aggiungere il cloruro di calcio e mescolare delicatamente per 1 minuto. Aggiungere il caglio e mescolare delicatamente per 1 minuto. Copri e lascia riposare, mantenendo 90 ° F per 30-45 minuti, o fino a quando la cagliata non si rompe.

3.   Tagliate la cagliata a pezzi da ½ pollice e lasciate riposare indisturbata per 5 minuti. A fuoco basso, porta lentamente la cagliata a 40 ° C per 40 minuti, mescolando due o tre volte. Togliere dal fuoco e mescolare per 15 minuti per rilasciare il siero di latte e ridurre la cagliata alle dimensioni delle arachidi.
4. A fuoco basso, porta lentamente la temperatura a 112 ° F per 5 o 7 minuti, mescolando la cagliata per farle salire. Una volta raggiunti i 30 ° C, togliete dal fuoco, mantenete la temperatura e lasciate riposare la cagliata per 20 minuti; affonderanno fino in fondo.

5. Mestolo oG abbastanza siero di latte per esporre la cagliata. Metti un colino su una ciotola o un secchio abbastanza grande da catturare il siero di latte. Foderatela con una mussola di burro umida e versateci dentro delicatamente la cagliata. Lasciar scolare per 10 minuti, quindi spolverare 1 cucchiaino e mezzo di sale marino sulla cagliata e mescolare delicatamente ma accuratamente con le mani. Lasciar scolare per altri 5 minuti.

6. Disegna le estremità della mussola insieme per formare una palla e attorciglia per aiutare a spremere l'umidità in eccesso. Posizionare il sacco su un tagliere igienizzato, arrotolarlo in una palla e legare la parte superiore per fissare la cagliata in una forma rotonda. Posizionare la cagliata avvolta e il tagliere su una griglia scolata e premere sulla cagliata con le mani per attenuare leggermente.

7. Appiattisci il nodo e le cravatte come meglio puoi per creare una superficie stabile su cui appoggiare un secondo tagliere. Posizionare il secondo tagliere sopra il formaggio; premere verso il basso per uniformare il fascio, quindi coprire completamente l'intero gruppo con un canovaccio da cucina. Posizionare un peso di 8 libbre sul formaggio e premere per 8 ore o durante la notte a una temperatura compresa tra 75 ° F e 85 ° F.

8. Preparare 2 quarti di salamoia quasi satura (vedere la tabella della salamoia) e raffreddare a una temperatura compresa tra 50 ° F e 55 ° F. Rimuovere il formaggio dal sacco e metterlo nella salamoia a bagno a 50 ° F a 55 ° F per 12 ore, ipping una volta per salare in modo uniforme. Rimuovere il formaggio dalla salamoia e asciugarlo tamponando, quindi posizionarlo su una stuoia o una

griglia per asciugare all'aria a temperatura ambiente per ore o fino a quando la superficie è asciutta al tatto. Capovolgi una volta durante questo periodo.

9.   Mettere in una scatola di maturazione a una temperatura compresa tra 50 ° F e 55 ° F e 85% di umidità e invecchiare per 1 settimana, bevendo quotidianamente. Quindi spennellare con una semplice soluzione di salamoia (vedere la tabella della salamoia), raffreddata a una temperatura compresa tra 10 e 55 ° F, due volte a settimana per 2 settimane.

10.   Dopo 2 settimane, strofinare il formaggio con 1 cucchiaio e mezzo di miele per ricoprire, quindi rimetterlo nella scatola di maturazione a una temperatura compresa tra 50 ° F e 55 ° F e 80% di umidità per 1 settimana, bevendo giornalmente. Il miele formerà un Plm, impedendo al formaggio di seccarsi.

11. Dopo un'altra settimana, strofinare con i restanti 1 cucchiaio e mezzo di miele e poi con i restanti 1 cucchiaino e mezzo di sale.

12. Riporre il formaggio nella scatola di stagionatura per altre 2 settimane, versando quotidianamente, quindi sigillare sottovuoto o avvolgere strettamente in un involucro di plastica per proteggere il rivestimento e conservare in frigorifero per 1 mese fino a 1 anno.

5. Rustico Foglie di Noce

a) Avrai bisogno di 4-6 grandi foglie di noce essiccate, con gambo, sbollentate e asciugate.

b) Per emulare al meglio i robusti Wavors che accompagnano l'uso del latte di pecora, al latte di capra e di vacca vengono aggiunti una piccola quantità di panna e un po 'di lipasi in polvere.

c) Prepara il formaggio usando la ricetta del Montasio, unendo 1 tazza di panna con il latte. Dopo aver aggiunto la coltura e prima di aggiungere il cloruro di calcio e il caglio, aggiungere un pizzico di lipasi in polvere.

d) Seguire le indicazioni durante la prima fase di maturazione, prima di strofinare con il miele (fino al punto 7). Strofinare il formaggio con olio d'oliva, quindi cospargere di sale kosher e strofinare sulla superficie. Anche se non è tradizionale, puoi strofinare il formaggio con olio d'oliva affumicato alternato a olio d'oliva non aromatizzato per un sapore affumicato. Il miglior olio d'oliva affumicato proviene da Smoked Olive, www.thesmokedolive.com.

e) Spennellare le foglie di noce su entrambi i lati con olio d'oliva, quindi avvolgere abbastanza foglie attorno al formaggio da coprirlo completamente. Mettere il formaggio in una scatola di stagionatura a una temperatura compresa tra 10 e 55 ° F e il 75% di umidità con una buona circolazione d'aria e invecchiare per 3 mesi, immergendolo quotidianamente per la settimana di riposo, quindi due volte a settimana.

f) Strofina il formaggio ogni giorno con olio d'oliva. Consumare il formaggio una volta che è invecchiato 3 mesi, oppure sigillarlo sottovuoto o avvolgerlo nella plastica e conservare in frigorifero per un altro mese.

g) Quando sei pronto per servire questi formaggi, consenti ai commensali di sbucciare la foglia che avvolge la loro porzione di formaggio.

6. Young Époisses

ingredienti

- Confezione da 500 g di preparato per pane bianco
- 100 g di noci in pezzi
- 140 g di albicocche secche, affettate
- 25 g di semi di papavero, tostati
- 400 ml di latte
- un filo d'olio, per ungere
- 1 uovo, sbattuto
- 1-2 formaggi molli in scatole, come brie o camembert
- spruzzata di vino bianco

Metodo

1. Versare la miscela di pane in un robot da cucina, aggiungere le noci e frullare fino a incorporarle completamente. Trasferire in una ciotola e incorporare le

albicocche e la maggior parte dei semi di papavero. Riscaldare il latte a temperatura ambiente, quindi incorporarlo al composto di farina con un cucchiaio di legno. Impastare nella ciotola fino a che liscio. Coprire con pellicola trasparente oliata e lasciare lievitare in un luogo caldo per 1 ora.

2. Trova un piatto resistente al calore delle stesse dimensioni o un po 'più grande della tua scatola di formaggi. Mettilo al centro di una grande teglia.

3. Formare l'impasto lievitato in un tronco lungo e sottile che avvolgerà il piatto sulla sfoglia, come una ghirlanda. Premere le estremità insieme, coprire leggermente con pellicola trasparente unta d'olio e lasciare lievitare per 20-30 minuti.

4. Riscaldare il forno a 180 ° C / 160 ° C ventola / gas 4. Spennellare l'uovo su tutta la pagnotta, quindi cospargere con i semi di papavero rimanenti. Usando le forbici da cucina, taglia a caso nell'impasto, per dare una finitura appuntita. Infornare per 35-40 minuti finché non diventa dorato e croccante e il fondo suona vuoto quando lo picchietti. Rimuovere il piatto dal centro.

5. Per servire, scartare il formaggio e rimetterlo nella scatola. Colpisci alcune volte, aggiungi il vino e lega lo spago da cucina intorno alla scatola per fissarlo nel caso in cui la colla si stacchi. Mettere il formaggio al centro del pane, senza il suo coperchio, e cuocere per 10-15 minuti fino a quando non sarà fuso. Servire subito e, se ti piace, metti

un altro formaggio nel forno in modo da poter finire il pane quando la prima scatola dei formaggi sarà pulita.

FORMAGGI A CROSTA FIORITA E STAGIONATI IN SUPERFICIE

7. Crème fraîche brie

PRODUCE una ruota da 10 a 12 once o due ruote da 5 a
6 once

- Penicillium candidum muffa in polvere
- Sale kosher (preferibilmente di marca Diamond Crystal) o
  sale marino
- 2 galloni di latte vaccino intero pastorizzato
- 1 cucchiaino di coltura starter mesofila in polvere Meso II
- 1/8 cucchiaino di Geotrichum candidum
- 15 polvere di stampo

- 1 cucchiaino di cloruro di calcio diluito in ¼ di tazza di acqua fredda non clorata
- ½ cucchiaino di caglio liquido diluito in ¼ di tazza di acqua fredda non clorata
- 1 tazza e mezzo di crème fraîche coltivata, fatta in casa o acquistata in negozio, a temperatura ambiente

1. Dodici ore prima di iniziare, unire un pizzico di Penicillium candidum, ¼ di cucchiaino di sale e 2 tazze di acqua fredda non clorata in un atomizzatore o in un flacone spray. Conservare a una temperatura compresa tra 50 ° F e 55 ° F.

2. In una pentola non reattiva da 6 quarti, riscalda lentamente il latte a 30 ° C a fuoco basso; questo dovrebbe richiedere circa 15 minuti. Spegni il fuoco.

3. Cospargere lo starter, ⅛ cucchiaino di polvere di stampo P. candidum e la polvere di stampo Geotrichum candidum sul latte e lasciare reidratare per 5 minuti. Mescolare bene usando una frusta con un movimento su e giù per 20 colpi. Coprite e mantenete la temperatura di 30 ° C, lasciando maturare il latte per 30 minuti. Aggiungere il cloruro di calcio e frullare delicatamente, quindi aggiungere il caglio allo stesso modo. Coprite e lasciate riposare, mantenendo la temperatura di 30 ° C per 1 ora e mezza, o fino a quando la cagliata non darà una pausa pulita.

4. Tagliare la cagliata a pezzi da ½ pollice e lasciare riposare per 5 minuti per ammorbidire la cagliata. Usando una

spatola di gomma, mescola delicatamente per 5 minuti attorno ai bordi della pentola per spostare la cagliata. Lasciate riposare la cagliata per 5 minuti; affonderanno fino in fondo.

5. Versare una quantità sufficiente di siero di latte per esporre la cagliata. Versare delicatamente la cagliata in uno scolapasta rivestito di mussola di burro umida e lasciare scolare per 10 minuti, o fino a quando il siero non smette di gocciolare.

6. Mettere la crème fraîche in una ciotola e frullare per ammorbidirla. Usando una spatola di gomma, piega delicatamente la panna fresca nella cagliata da unire. Lasciar scolare per 10 minuti, fino a quando il liquido residuo non sarà completamente drenato.

7.   Metti uno scolapiatti su un vassoio, metti un tagliere sulla griglia e una stuoia di formaggio sulla tavola e, infine, posiziona uno stampo Brie da 8 pollici o due stampi Camembert da 4 pollici sul tappetino. Versate la cagliata nello stampo o negli stampini e lasciate scolare per 2 ore. La cagliata ridurrà a circa due terzi l'altezza dello stampo. Metti un secondo tappetino e tavola sopra la parte superiore dello stampo. Con una mano tenendo la tavola Hrmly contro il tappetino e lo stampo, solleva e piega delicatamente sopra la tavola inferiore e la stuoia con lo stampo e riposizionala sullo scolapiatti; il secondo tabellone e il secondo tappetino saranno ora in basso e il tappetino e il tabellone originali saranno in alto.

8. Lasciate scolare per 2 ore, fino a quando la cagliata non si sarà ridotta di circa un terzo, quindi ip ancora nello stesso modo e lasciate scolare per una notte a temperatura ambiente. La cagliata sarà alta circa 1 pollice e mezzo a questo punto.

9. Salate la parte superiore del formaggio, versatela sopra, salate il secondo lato e lasciate scolare per altre 2 ore. La quantità di sale è difficile da individuare, ma se immagini di salare bene una bistecca o un pomodoro, è giusto. La cagliata sarà alta circa 1 pollice a questo punto. Togliete lo stampo e spruzzate leggermente il formaggio (mentre è sulla griglia) con la soluzione di P. candidum.

10. Posizionare il formaggio su una stuoia di formaggio pulita in una scatola di maturazione. Coprire liberamente con il coperchio e maturare a una temperatura compresa tra 50 ° F e 55 ° F e il 90% di umidità. L'elevata umidità è essenziale per produrre questo formaggio. Capovolgere il formaggio ogni giorno, eliminando il siero di latte che potrebbe essersi accumulato nella scatola di stagionatura. Tenere la scatola vagamente coperta per mantenere il livello di umidità.

11. Dopo 2 giorni, puoi spruzzare leggermente i formaggi con la soluzione di muffa per garantire una corretta crescita della muffa, se lo desideri. Dopo circa 5 giorni appariranno i primi segni di muffa bianca sfocata. Rimuovere eventuali muffe indesiderate con un pezzo di garza imbevuta di una soluzione di sale e aceto.

12. Dopo 10-14 giorni, i formaggi saranno completamente ricoperti di muffa bianca. A questo punto pulire la cassetta stagionatura, avvolgere i formaggi in carta da formaggio e rimetterli nella cassetta stagionatura.

13. Il formaggio inizierà ad ammorbidirsi entro 1 settimana circa. Dopo un totale di 4 settimane dall'inizio della stagionatura (o 3 settimane se si utilizzano stampi Camembert), spostare i formaggi avvolti in frigorifero e conservare fino a quando non hanno raggiunto la maturazione desiderata: rm e mite, o semiliquide e forti.

14. Il tempo di maturazione fino alla maturazione desiderata varierà a seconda del diametro e dello spessore del formaggio: se è stato utilizzato uno stampo Brie, contare da 4 a 7 settimane totali; se 2 stampi Camembert, conta da 3 a 6 settimane in totale.

8. Brie all'americana

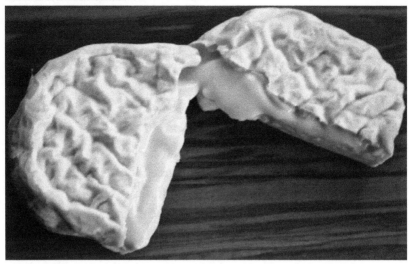

FA 2 libbre

- 2 galloni di latte vaccino intero pastorizzato
- ½ tazza di panna pastorizzata
- Un pizzico di coltura starter mesofila in polvere MA 4001
- 1 cucchiaino di coltura starter termofila in polvere Thermo B
- 1 cucchiaino di polvere di muffa di Penicillium candidum
- 1 cucchiaino di Geotrichum candidum 15 stampo in polvere
- 1 cucchiaino di cloruro di calcio diluito in ¼ di tazza di acqua fredda non clorata

- 1 cucchiaino di caglio liquido diluito in ¼ di tazza di acqua fredda non clorata

- Sale kosher (preferibilmente di marca Diamond Crystal) o sale al formaggio

1. Riscaldare il latte e la panna in una pentola da 10 quarti a bagnomaria a 30 ° C a fuoco basso. Porta il latte a 90 ° F in 10 minuti.

2. Lasciare acceso il fuoco e cospargere le colture starter e gli stampi in polvere sul latte e lasciare reidratare per 5 minuti. Mescolare bene usando una frusta con un movimento su e giù per 20 colpi. Lasciare che la temperatura del latte aumenti da 96 ° F a 98 ° F. Spegnete il fuoco, coprite e lasciate riposare il latte a bagnomaria per 1 ora e mezza. Aggiungere il cloruro di calcio e frullare delicatamente, quindi aggiungere il caglio allo stesso modo. Lasciar riposare, coperto, per 30 minuti, o fino a quando la cagliata non darà una rottura netta.

3. Taglia la cagliata a pezzi da ¾ di pollice e lasciala riposare per 5 minuti. Mescola la cagliata per 10-15 minuti,poi lasciateli riposare per 5 minuti. Mestolo o abbastanza siero di latte per esporre la cagliata.

4. Metti uno scolapiatti su un vassoio, metti uno stampo Brie da 8 pollici (con un fondo) su di esso e metti il rack in una scatola di maturazione. Versare delicatamente la cagliata nello stampo e lasciarla scolare per 1 ora, sollevando periodicamente lo stampo e versando il siero dalla teglia.

5.   Dopo 1 ora, delicatamente Strappa il formaggio dallo stampo nella tua mano, giralo e rimettilo nello stampo. Questo uniforma il drenaggio e leviga la superficie su entrambi i lati. Gira il formaggio ogni ora mentre continui a scolare e getta il siero di latte. A poco a poco ci saranno solo pochi grammi di siero di latte da drenare. Quando non c'è più siero di latte, dopo quattro o cinque ips, mettere un foglio di alluminio o un coperchio sulla scatola di maturazione, ventilata in due punti, e mantenere la scatola a temperatura ambiente per 8 ore.

6.   Scolare oD l'ultimo siero di latte e sformare il formaggio su una stuoia. Salare la parte superiore del formaggio, coprirla e salare il secondo lato. La quantità di sale è difficile da individuare, ma se immagini di salare bene una bistecca o un pomodoro, è giusto. La salatura dei bordi è facoltativa.

7.   La fase di fioritura della maturazione inizia ora e si effettua al meglio a temperature comprese tra 12 ° C e 17 ° C. Mettere il coperchio della scatola di maturazione di traverso o coprire i due terzi centrali dellapadella con un foglio di alluminio, lasciandolo aperto ad entrambe le estremità per la circolazione dell'aria. In 3 o 4 giorni il formaggio fiorirà, con una muffa bianca che si forma sulla superficie. Capovolgi la ruota per far fiorire l'altro lato. La seconda fioritura sarà completa in solo 1 o 2 giorni in più.

8.   Usando carta da formaggio, avvolgere la ruota, chiudendo con nastro adesivo eventuali bordi scomodi. Spostare la ruota su un vassoio pulito e una scatola di

maturazione con un coperchio chiuso. Posizionare 2 tovaglioli di carta umidi imbottiti agli angoli opposti della scatola per mantenere l'umidità a circa l'85%. Sposta questa scatola nel frigorifero (impostato a circa 38 ° F). Inumidire gli asciugamani secondo necessità e capovolgere la ruota una o due volte durante il periodo di maturazione.

9.   La forma dovrebbe essere pronta per essere servita dopo 5-6 settimane. Puoi controllare tagliando un piccolo cuneo da ¼ di pollice. Ilil formaggio dovrebbe essere morbido e iniziare a fuoriuscire dalla crosta, e dovrebbe avere un sapore e un odore delicato (il vecchio Brie avrà un sapore molto piccante e odorerà di ammoniaca).

10. Premere un piccolo pezzo di carta cerata nella sezione tagliata prima di riavvolgere. Il formaggio si conserva da 6 a 8 settimane in frigorifero.

9. Bucheron

FA due ceppi da 8 once

- Penicillium candidum muffa in polvere
- 1 cucchiaino di sale marino Vne
- 1 gallone di latte di capra pastorizzato
- 1 cucchiaino di coltura starter mesofila in polvere Aroma B.
- Un pizzico di Geotrichum candidum 15 muffa in polvere
- 1 cucchiaino di cloruro di calcio diluito in ¼ di tazza di acqua fredda non clorata

- 1 cucchiaino di caglio liquido diluito in ¼ di tazza di acqua fredda non clorata

1. Dodici ore prima di iniziare, unire un pizzico di P. candidum, ¼ di cucchiaino di sale e 2 tazze di acqua fredda non clorata in un atomizzatore o in un flacone spray. Conservare a una temperatura compresa tra 50 ° F e 55 ° F.

2. In una pentola non reattiva da 6 quarti, riscaldare il latte a fuoco basso a 72 ° F; questo dovrebbe richiedere circa 10 minuti. Spegni il fuoco.

3. Cospargere lo starter, ⅛ cucchiaino di polvere di stampo P. candidum e la polvere di stampo Geotrichum candidum sul latte e lasciare reidratare per 5 minuti. Mescolare bene usando una frusta con un movimento su e giù per 20 colpi. Aggiungere il cloruro di calcio e mescolare delicatamente per 1 minuto, quindi aggiungere il caglio allo stesso modo. Coprite e lasciate riposare, mantenendo i 72 ° F, per 18 ore, o fino a quando la cagliata non saràuna massa rm e il siero di latte sta galleggiando in cima.

4. Posizionare uno scolapiatti su una teglia. Fissa 2 stampini cilindrici Saint-Maure o bûche all'interno 2stampi rotondi e diritti e posizionarli sulla griglia.

5. Tagliare delicatamente fette di cagliata spesse ½ pollice usando un mestolo o una schiumarola e versare delicatamente le fette negli stampini cilindrici per

riempire. Lasciar sgocciolare finché non si sarà aggiunta altra cagliata negli stampini. Non essere tentato di aggiungere un altro stampo; la cagliata si comprimerà mentre il siero di latte fuoriesce, lasciando spazio a tutta la cagliata.

6. Quando tutta la cagliata sarà stata versata negli stampini, copriteli con un canovaccio pulito e lasciate scolare i formaggi per 24 ore a temperatura ambiente. Rimuovere il siero di latte raccolto alcune volte durante lo scarico, asciugando ogni volta il vassoio con un tovagliolo di carta.

7. Dopo 6 ore, o quando i formaggi sono abbastanza sodi da poter essere maneggiati, capovolgere delicatamente gli stampi sul palmo della mano per inserire i formaggi negli stampi. Fatelo ancora qualche volta durante le 24 ore per favorire la formazione uniforme dei formaggi e lo sviluppo dei batteri. Trascorse le 24 ore, la cagliata si sarà ridotta a circa la metà dell'altezza delle forme.

8. Una volta che i formaggi hanno smesso di scolarsi e la cagliata si è compressa al di sotto della metà dello stampo, posizionare una stuoia in una scatola di stagionatura. Togliere i formaggi dagli stampini e cospargere ¾ cucchiaino di sale su tutta la superficie di ogni formaggio.

9. Mettere i formaggi a una distanza di almeno 1 pollice l'uno dall'altro sul tappetino nella scatola di stagionatura e attendere 10 minuti affinché il sale si dissolva, quindi nebulizzare leggermente con la soluzione di P. candidum.

Elimina l'umidità dalle pareti della scatola. Copri la scatola con il coperchio e lasciala riposare a temperatura ambiente per 24 ore.

10.   Scolare il siero di latte e asciugare l'umidità dalla scatola, quindi stagionare il formaggio a una temperatura compresa tra 50 ° F e 55 ° F e il 90% di umidità per 2 settimane. Per i primi giorni, regolare il coperchioessere leggermente aperto per una porzione di ogni giorno per mantenere il livello di umidità desiderato.

11. Troppa umidità creerà una superficie indesiderabilmente bagnata. La superficie del formaggio dovrebbe apparire umida ma non bagnata. Ogni giorno, elimina l'umidità che potrebbe essersi accumulata nella scatola di maturazione. Per tutto il periodo di stagionatura, girare i formaggi di un quarto di giro al giorno per mantenere la loro forma di tronco.

12. Dopo 2 giorni, vaporizzare leggermente con la soluzione di muffa. Dopo circa 5 giorni appariranno i primi segni di muffa bianca sfocata. Dopo 10-14 giorni, i formaggi saranno completamente ricoperti di muffa bianca. Rimuovere eventuali muffe indesiderate utilizzando un pezzo di garza imbevuta di una soluzione di sale e aceto.

13.   Pulire e asciugare la scatola di stagionatura, avvolgere i formaggi in carta da formaggio e rimetterli nella scatola di stagionatura. I formaggi inizieranno ad ammorbidirsi entro 1 settimana circa.

14. Dopo un totale di 4 settimane dall'inizio della stagionatura avvolgere nella pellicola e riporre in frigorifero. È meglio consumare questo formaggio quando ha raggiunto la maturazione desiderata, tra le 4 e le 5 settimane.

10. Camembert

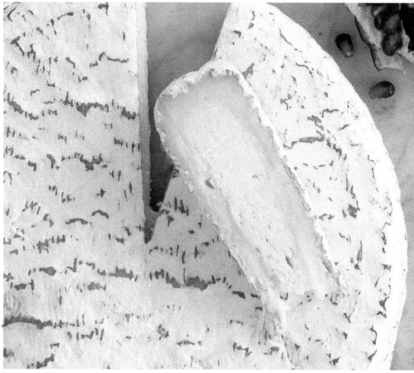

FA 1 libbra

- 3 litri di latte vaccino intero pastorizzato
- 1 cucchiaino di coltura starter mesofila in polvere MM 100
- ⅛ cucchiaino di polvere di muffa di Penicillium candidum
- 1 cucchiaino di cloruro di calcio diluito in ¼ di tazza di acqua fredda non clorata
- 1 cucchiaino di caglio liquido diluito in ¼ di tazza di acqua fredda non clorata
- 5 cucchiai di sale kosher (preferibilmente di marca Diamond Crystal) o sale di formaggio

1. In una pentola non reattiva da 6 quarti, riscaldare il latte a fuoco basso a 90 ° F; questo dovrebbe richiedere circa 20 minuti. Spegni il fuoco.

2. Cospargere lo starter e lo stampo in polvere sul latte e lasciare reidratare per 5 minuti. Mescolare bene usando una frusta con un movimento su e giù.

3. Coprite e mantenete a 90 ° F, lasciando maturare il latte per 1 ora e mezza. Aggiungere il cloruro di calcio e frullare delicatamente, quindi aggiungere il caglio allo stesso modo. Coprite e lasciate riposare, mantenendo 90 ° F, fino a quando la cagliata non darà una rottura netta.

4. Taglia la cagliata in pezzi da ¼ a ½ pollice e lascia riposare per 5 minuti. Mescolare delicatamente con una spatola di gomma per evitare che la cagliata si opacizzi, quindi versare un terzo del siero di latte. Aggiungere il sale e mescolare delicatamente per incorporare.

5. Versare la cagliata uno stampo Camembert da 4 pollici impostato su uno scolapiatti sopra un vassoio. Lasciar sgocciolare a temperatura ambiente fino a quando il formaggio non sarà sufficientemente compatto, circa 2 ore. Gira il formaggio ogni ora per 5 ore o finché non smette di scolarsi.

11. Coulommiers

PER 4 formaggi da 5 once

- Penicillium candidum muffa in polvere
- 3 cucchiaini e mezzo kosher o sale marino Vne Nake
- 2 galloni di latte vaccino intero pastorizzato
- 1 cucchiaino di coltura starter mesofila in polvere MA 4001
- 1 cucchiaino di cloruro di calcio diluito in ¼ di tazza di acqua fredda non clorata
- 1 cucchiaino di caglio liquido diluito in ¼ di tazza di acqua fredda non clorata

1. Dodici ore prima di iniziare, unire un pizzico di P. candidum, ½ cucchiaino di sale e 1 litro di acqua non

clorata in un atomizzatore o in un flacone spray.
Conservare a una temperatura compresa tra 50 ° F e 55 °
F.

2.   In una pentola non reattiva da 10 quarti, riscaldare il
latte a fuoco basso a 90 ° F; questo dovrebbe richiedere
circa 20 minuti. Spegni il fuoco.

3.   Cospargere lo starter e ⅛ cucchiaino di polvere di
stampo P. candidum sul latte e lasciare reidratare per 5
minuti. Mescolare bene usando una frusta con un
movimento su e giù. Aggiungere il cloruro di calcio e
frullare delicatamente, quindi aggiungere il caglio allo
stesso modo. Coprite e lasciate riposare, mantenendo 90 °
F per 1 ora e mezza, o fino a quando la cagliata non darà
una pausa pulita.

4. Tagliare la cagliata a fette spesse ½ pollice e lasciar
riposare per 5 minuti per ammorbidire la cagliata. Usando
una spatola di gomma, mescola delicatamente lungo i
bordi della pentola per 5 minuti per restringere
leggermente la cagliata e evitare che si stuoia.

5.   Posizionare uno scolapiatti sopra a vassoio, mettere
un tagliere sulla griglia e una stuoia di formaggio sulla
tavola e, infine, posizionare quattro stampini Camembert
da 4 pollici sul tappetino. Utilizzando una schiumarola,
versare delicatamente le fette di cagliata negli stampini.
Riempire gli stampini fino in cima, quindi continuare ad
aggiungere le fette mentre la cagliata si scolano.

6. Quando tutta la cagliata è stata trasferita negli stampi, coprire gli stampi con un canovaccio pulito e lasciarli scolare a temperatura ambiente per 5-6 ore, o fino a quando la cagliata non si sarà ridotta a quasi la metà dell'altezza degli stampi. Eliminare periodicamente il siero di latte.

7. Metti un secondo tappetino e un tagliere sopra gli stampini. Con una mano che regge il pannello superiore Wrmly contro il tappetino e gli stampi, sollevare e inclinare delicatamente il bordo inferiore e il tappetino con gli stampi e riporlo sullo scolapiatti; il secondo tabellone e il secondo tappetino saranno ora in basso e il tappetino e il tabellone originali saranno in alto.

8. Lasciar scolare per 6 ore, finché la cagliata non sarà alta da 1½ a 2 pollici, quindi imbastire di nuovo e lasciare scolare per altre 3 ore. Smettere di sgranocchiare una volta che i formaggi smettono di scolarsi; dovrebbero essere ben drenati e Orm al tatto.

9. Rimuovere gli stampini e cospargere circa 1 cucchiaino e mezzo di sale sulle parti superiori e sui lati dei formaggi. Lasciare agire per 10 minuti, lasciando sciogliere il sale. Mettere i formaggi con il sale rivolto verso il basso su una base di formaggio pulita in una scatola di stagionatura e salare gli altri lati, ancora usando circa 1 cucchiaino e mezzo. Copri la scatola con il coperchio leggermente aperto per un po 'di circolazione d'aria e fai maturare i formaggi a una temperatura compresa tra 50 ° F e 55 ° F e il 90% di umidità. L'elevata umidità è essenziale per produrre questo formaggio.

10. Capovolgere i formaggi ogni giorno, rimuovendo il siero di latte e l'umidità che possono essersi accumulati nella scatola di maturazione, poiché l'umidità inibirà il corretto sviluppo della muffa bianca. Quando l'umidità non si accumula più nella scatola, copri bene la scatola.

11. Dopo 2 giorni, spruzzare leggermente con la soluzione per muffe. Dopo circa 5 giorni appariranno i primi segni di muffa bianca sfocata. Dopo 10-14 giorni, i formaggi saranno completamente ricoperti di muffa bianca. Rimuovere eventuali muffe indesiderate utilizzando un pezzo di garza imbevuta di una soluzione di sale e aceto.

12. Pulire la scatola di stagionatura, avvolgere i formaggi in carta da formaggio e rimetterli nella scatola di stagionatura. Il formaggio inizierà ad ammorbidirsi entro 1 settimana circa. È pronto da mangiare quando la parte centrale risulta morbida al tatto; questo può essere da 1 a 2 settimane o leggermente più lungo. Conservare in frigorifero fino a raggiungere la maturazione desiderata.

12. Cabra ammantata scoscesa

FA dieci formaggi da 3 once

- Penicillium candidum muffa in polvere
- 4 ¼ cucchiaini di sale marino Vne
- 1 gallone di latte di capra pastorizzato
- 1 cucchiaino di coltura starter mesofila in polvere Aroma B Pizzico di Geotrichum candidum 15 muffa in polvere
- 1 cucchiaino di cloruro di calcio diluito in ¼ di tazza di acqua fredda non clorata
- 1 cucchiaino di caglio liquido diluito in ¼ di tazza di acqua fredda non clorata
- 2 cucchiai di cenere vegetale

1. Dodici ore prima di iniziare, unire un pizzico di P. candidum, ¼ di cucchiaino di sale e 2 tazze di acqua fredda non clorata in un atomizzatore o in un flacone spray. Conservare a una temperatura compresa tra 50 ° F e 55 ° F.

2. In una pentola non reattiva da 6 quarti, riscaldare il latte a fuoco basso a 72 ° F; questo dovrebbe richiedere circa 10 minuti. Spegni il fuoco.

3.   Cospargere sul latte lo starter, ⅛ cucchiaino di P. candidum e lo stampo in polvere di Geotrichum candidum e lasciare reidratare per 5 minuti. Mescolare bene usando una frusta con un movimento su e giù per 20 colpi. Coprite e mantenete i 72 ° F, lasciando maturare il latte per 30 minuti. Aggiungere il cloruro di calcio e mescolare delicatamente per 1 minuto, quindi aggiungere il caglio allo stesso modo. Copri e lascia riposare, mantenendo i 72 ° F per 8-10 ore, o fino a quando la cagliata non dà una pausa pulita.

4.   Tagliate la cagliata a pezzi da ½ pollice e lasciate riposare per 5 minuti. Mescolate delicatamente per 10 minuti con una spatola di gomma, quindi versate la cagliata in uno scolapasta rivestito di mussola di burro umida e lasciate scolare per 30 minuti. Cospargere con 1 cucchiaio di sale e mescolare delicatamente con le mani per incorporare,quindi fare un sacco scolante dalla mussola e lasciare scolare per 4 ore, o fino a quando il siero non smette di gocciolare.

5.   Usando una bilancia, porzionate la cagliata scolata in 10 pezzi; ciascuno dovrebbe pesare circa 3 ½ once. Modella leggermente e arrotolalapalline, quindi posizionare i formaggi a una distanza di almeno 1 pollice l'uno dall'altro su una stuoia posta in una scatola di stagionatura. Copri la scatola senza stringere con il coperchio e lascia riposare a temperatura ambiente per 8 ore.

6.   Scolare il siero di latte e asciugare l'umidità dalla scatola, quindi stagionare il formaggio a una temperatura compresa tra 50 ° F e 55 ° F e l'85% di umidità per 2 giorni. Regola il coperchio in modo che sia leggermente aperto per una porzione di ogni giorno per mantenere il livello di umidità desiderato. La superficie del formaggio dovrebbe apparire umida ma non bagnata.

7.   In una piccola ciotola o barattolo, unisci la cenere vegetale con il restante cucchiaino di sale. Indossare usa e gettaguanti, utilizzare un colino Vne-mesh per spolverare i formaggi con la cenere vegetale, ricoprendoli completamente. Picchietta delicatamente la cenere sulla superficie dei formaggi. Posizionare i formaggi spolverati su una piastra per formaggio pulita in una scatola di stagionatura asciutta. Maturare a 50 ° F a 55 ° F e 85% di umidità, girando i formaggi ogni giorno per mantenere la forma rotonda.

8.   Due giorni dopo aver incenerito i formaggi, vaporizzarli leggermente con la soluzione di muffa. Fissare il coperchio alla scatola di maturazione. Dopo

circa 5 giorni appariranno i primi segni di muffa bianca sfocata attraverso la cenere. Dopo 10-14 giorni, i formaggi saranno completamente ricoperti di muffa bianca. Anche la superficie rugosa inizierà a svilupparsi entro 10 giorni.

9.   A 2 settimane, pulire e asciugare la scatola di stagionatura, avvolgere i formaggi in carta da formaggio e rimetterli nella scatola di stagionatura. I formaggi inizieranno ad ammorbidirsi entro 1 settimana circa. Dopo un totale di 3 settimane dall'inizio della maturazione, conservarein frigorifero. È meglio consumare questi formaggi quando hanno raggiunto la maturazione desiderata, circa 3 o 4 settimane dall'inizio della stagionatura.

13. Crottin

PER 4 formaggi da 3 ½ once

• 1 gallone di latte di capra pastorizzato

- 1 cucchiaino di coltura starter mesofila Meso I o Aroma B in polvere Un pizzico di polvere di muffa Penicillium candidum
- Un pizzico di Geotrichum candidum 15 muffa in polvere
- 1 cucchiaino di cloruro di calcio diluito in ¼ di tazza di acqua fredda non clorata
- 1 cucchiaino di caglio liquido diluito in ¼ di tazza di acqua fredda non clorata
- 1 cucchiaio di sale marino Hne

1. Lascia riposare il latte a temperatura ambiente per 1 ora. In una pentola non reattiva da 6 quarti, riscaldare il latte a fuoco basso a 72 ° F; questo dovrebbe richiedere circa 10 minuti. Turno il calore.

2. Cospargere lo starter e le polveri dello stampo sul latte e lasciare reidratare per 5 minuti. Mescolare bene usando una frusta con un movimento su e giù. Aggiungere il cloruro di calcio e mescolare delicatamente per 1 minuto, quindi aggiungere il caglio allo stesso modo. Coprite e mantenete i 72 ° F, lasciando maturare il latte per 18ore, o fino a quando la cagliata non forma una massa solida.

3. Posizionare 4 stampini per crottin su una griglia scolata sopra una teglia. Tagliare delicatamente fette di cagliata spesse ½ pollice usando un mestolo o una schiumarola e versare delicatamente le fette di cagliata negli stampiniPedaggio. Scolare fino a quando non sarà possibile aggiungere altra cagliata agli stampi. Non essere tentato di aggiungere un altro stampo; la cagliata si

comprimerà mentre il siero di latte fuoriesce, lasciando spazio a tutta la cagliata.

4.   Quando tutta la cagliata sarà stata versata negli stampini, copriteli con un canovaccio pulito e lasciate che il composto i formaggi scolare a temperatura ambiente. Rimuovere il siero di latte raccolto alcune volte durante lo scarico, asciugando ogni volta il vassoio con un tovagliolo di carta.

5. Dopo 12 ore, o quando i formaggi sono abbastanza grattugiati da poter essere maneggiati, capovolgere delicatamente gli stampi sul palmo della mano per inserire i formaggi negli stampi. Fatelo altre tre volte durante le successive 36 ore per favorire la formazione uniforme dei formaggi e lo sviluppo dei batteri. Dopo 48 ore la cagliata si sarà ridotta a circa la metà dell'altezza dello stampo.

6.   Una volta che i formaggi hanno smesso di scolarsi e la cagliata si è compressa al di sotto della metà dello stampo, posizionare una stuoia in una scatola di stagionatura. Rimuovere i formaggi dagli stampini e cospargere di sale le parti superiori e inferiori dei formaggi. Mettili a una distanza di almeno 1 pollice l'uno dall'altro sul tappetino nella scatola di maturazione e lascia che il sale si dissolva per 10 minuti. Elimina l'umidità dalle pareti della scatola.

7.   Copri la scatola senza stringere con il coperchio e lasciala riposare a temperatura ambiente per 8 ore. Scolare il siero di latte e asciugare l'umidità dalla scatola, quindi far maturare i formaggi a 10 ° C.

8. a 55 ° F e al 90% di umidità, salpando i formaggi ogni giorno. Per i primi giorni, regolare il coperchio in modo che sia leggermente aperto per una porzione di ogni giorno per mantenere il livello di umidità desiderato. Troppa umidità creerà una superficie indesiderabilmente bagnata. La superficie dei formaggi dovrebbe apparire umida ma non bagnata.

9. Dopo circa 5 giorni appariranno i primi segni di muffa bianca sfocata. Dopo 10-14 giorni, i formaggi saranno completamente ricoperti di muffa bianca. Pulire e asciugare la scatola di stagionatura, avvolgere i formaggi in carta da formaggio e rimetterli nella scatola di stagionatura.

10. I formaggi inizieranno ad ammorbidirsi entro 1 settimana circa. Dopo un totale di 3 settimane dall'inizio della stagionatura, avvolgere i formaggi in carta di formaggio fresco e riporre in frigorifero. È meglio consumare questi formaggi quando hanno raggiunto la maturazione desiderata, tra le 3 e le 4 settimane dall'inizio della stagionatura.

14. Fromage à l'Huile

PRODUCE quattro dischi di crottin da 6 once

- 2 galloni di latte di capra pastorizzato
- 1 cucchiaino MM 100 o MA 011 coltura starter mesofila in polvere Un pizzico di lievito Choozit CUM
- Un pizzico di polvere di muffa di Penicillium candidum Un pizzico di polvere di stampo di Geotrichum candidum 17
- ¼ di cucchiaino di cloruro di calcio diluito in ½ tazza di acqua fredda non clorata ¼ di cucchiaino di caglio liquido diluito in ½ tazza di acqua fredda non clorata
- 2 cucchiaini di sale kosher (preferibilmente di marca Diamond Crystal) o sale di formaggio

1. In una pentola non reattiva da 10 quarti, riscaldare il latte a fuoco medio a 75 ° F; questo dovrebbe richiedere circa 12 minuti. Spegni il fuoco.

2. Cospargere la polvere di avviamento, lievito e muffa sul latte e lasciare reidratare per 5 minuti. Mescolare bene usando una frusta con un movimento su e giù.

3. Coprite e mantenete i 25 ° C, lasciando maturare il latte per 25 minuti. Incorporare delicatamente il cloruro di calcio per 1 minuto, quindi aggiungere il caglio nello stesso modo.

4. Coprire e lasciare riposare, mantenendo 75 ° F per 15-20 ore, fino a quando il pH del siero di latte è inferiore a 4,6 ma non inferiore a 4,4. A questo punto, la cagliata si sarà separata dai lati della vasca e ci saranno delle crepe nel corpo della cagliata e uno strato di siero di latte da ½ pollice sopra la cagliata.

5.   Posizionare una griglia su una teglia e posizionare 4 stampini per crottin sulla griglia. La cagliata può essere versata in grandi misurini e scolata in una garza umida per 10-15 ore e quindi confezionata negli stampi per crottin o delicatamente versata in piccoli misurini direttamente negli stampi. In ogni caso, una volta che la cagliata sarà negli stampini, lasciatela scolare per 15-36 ore a temperatura ambiente.

6.   Cospargere ¼ di cucchiaino di sale kosher sopra ogni
       formaggio nello stampo. Dopo circa 10 ore di
       sgocciolamento, la cagliata sarà rm e manterrà la forma.

7.   Dopo 12 ore di sgocciolamento totale, sformare i
       formaggi, insaporirli e rimetterli negli stampini e scolare
       ulteriormente. Cospargere un altro ¼ di cucchiaino di sale
       sopra ogni formaggio nello stampo.

8.   Sformare i formaggi e metterli su una stuoia per
       formaggi ad asciugare all'aria a una temperatura compresa
       tra 60 ° F e 20 ° F. Capovolgere i formaggi il giorno
       successivo, quindi lasciarli riposare fino a quando non
       sarà visibile la formazione di muffa sulla superficie;
       questo dovrebbe richiedere dai 3 ai 5 giorni.

9.   Quando c'è crescita, sovrapporre i formaggi e spostarli in
       un luogo più umido e più freddo, in una scatola di
       maturazione a una temperatura compresa tra 45 ° F e 48 °
       F e al 90% di umidità. Capovolgere i formaggi
       giornalmente fino a quando non saranno completamente
       ricoperti di muffa bianca; questo dovrebbe avvenire entro
       10 giorni.

10.   Dopo un totale di 2 settimane dall'inizio della
       stagionatura, avvolgere i formaggi in carta da formaggio e
       riporre in frigorifero.

11.   È meglio consumare questi formaggi quando hanno
       raggiunto la maturazione desiderata, tra 2 e 3 settimane
       dall'inizio della stagionatura, o più a lungo per un sapore
       più forte.

15. Camembert infuso di funghi

FA due formaggi da 8 once

- Penicillium candidum muffa in polvere
- 4 cucchiaini e mezzo di sale kosher (preferibilmente di marca Diamond Crystal), sale per formaggio o sale marino Lne Pake
- 1 oncia di funghi shiitake essiccati a fette 1 gallone di latte vaccino intero pastorizzato
- ¼ di cucchiaino MM 100 in polvere di coltura starter mesofila Un pizzico di Geotrichum candidum 15 muffa in polvere
- ¼ di cucchiaino di cloruro di calcio diluito in ¼ di tazza di acqua fredda non clorata ¼ di cucchiaino di caglio liquido diluito in ¼ di tazza di acqua fredda non clorata
1. Dodici ore prima di iniziare, unire un pizzico di P. candidum, ½ cucchiaino di sale e 1 litro di acqua fredda non clorata in un atomizzatore o in un flacone spray.

Conservare a una temperatura compresa tra 50 ° F e 55 ° F.

2.   In una pentola non reattiva da 6 quarti, mescolare i funghi nel latte, quindi scaldare a fuoco basso a 110 ° F a 112 ° F. Spegnere il fuoco e mantenere la temperatura per 55 minuti. Filtrare il latte attraverso un colino a rete, premendo sui funghi per spremere il liquido. Scartare i funghi.

3.   Raffreddare il latte a 90 ° F, quindi cospargere sul latte lo starter, ⅛ cucchiaino di polvere di stampo P. candidum e la polvere di stampo Geotrichum candidum e lasciare reidratare per 5 minuti. Mescolare bene usando una frusta con un movimento su e giù. Aggiungere il cloruro di calcio e frullare delicatamente, quindi aggiungere il caglio allo stesso modo. Coprite e lasciate riposare, mantenendo una temperatura di 85 ° F per 1 ora e mezza, o fino a quando la cagliata non darà una rottura netta.

4.   4. Tagliate la cagliata a pezzi da ½ pollice e lasciate riposare per 5 minuti per farla salire. Usando una spatola di gomma, mescola delicatamente lungo i bordi della pentola per 5 minuti per restringere la cagliata e evitare che si stuoia. Lasciate riposare la cagliata per 5 minuti; affonderanno fino in fondo.

5.   Posizionare una griglia su una teglia, mettere un tagliere sulla griglia e una stuoia di formaggio sulla tavola e, infine, posizionare i due stampi Camembert da 4 pollici

sul tappetino. Mestolare un po 'di siero di latte e, utilizzando una schiumarola, versare delicatamente la cagliata negli stampini. Lasciate scolare per 2 ore, finché la cagliata non si sarà ridotta a circa la metà dell'altezza degli stampini.

6. Metti un secondo tappetino e un tagliere sopra gli stampini. Con una mano tenendo saldamente la tavola superiore contro il tappetino e gli stampi, sollevare e afferrare delicatamente gli stampini e riporli sulla griglia di drenaggio.

7. Lasciar scolare per 2 ore, quindi ip di nuovo. A questo punto la cagliata dovrebbe essere alta da 1½ a 2 pollici. Coprite e lasciate scolare a temperatura ambiente per 8 ore o per tutta la notte. Gira di nuovo i formaggi e lasciali scolare per altre 2 ore.

8. Rimuovere gli stampini e cospargere circa 2 cucchiaini di sale sopra e sui lati dei formaggi. Lasciare agire per 10 minuti, lasciando sciogliere il sale. A questo punto spruzzare leggermente con la soluzione di stampo. Mettere i formaggi con il sale rivolto verso il basso su un tappetino pulito in una scatola di stagionatura e salare l'altro lato, usando i restanti 2 cucchiaini di sale.

9. Copri la scatola con il coperchio leggermente aperto per un po 'di circolazione d'aria e fai maturare i formaggi a una temperatura compresa tra 50 ° F e 55 ° F e il 90% di umidità. L'elevata umidità è essenziale per produrre questo formaggio. Capovolgere i formaggi quotidianamente, eliminando il siero di latte e l'umidità che possono essersi accumulati nella scatola di

stagionatura. Tenere coperto per mantenere il livello di umidità.

10. Dopo circa 5 giorni appariranno i primi segni di muffa bianca sfocata. Continua a ip i formaggi ogni giorno.

11. Dopo 10-14 giorni, i formaggi saranno completamente ricoperti di muffa bianca. Avvolgerli liberamente in carta da formaggio e rimetterli nella scatola di maturazione a una temperatura compresa tra 50 ° F e 55 ° F e 85% di umidità. I formaggi inizieranno ad ammorbidirsi entro 1 settimana circa.

12. Trascorse complessivamente 4 settimane dall'inizio della stagionatura, spostare i formaggi in frigorifero fino a raggiungere la maturazione desiderata, fino a 6 settimane dall'inizio della stagionatura.

16. Robiola fiorita

FA 2 libbre

- Robiola
- 1 gallone di latte vaccino intero pastorizzato
- 1 gallone di latte di capra pastorizzato
- 1 cucchiaino di coltura starter mesofila in polvere MM 100
- 1 cucchiaino di Geotrichum candidum 15 stampo in polvere
- 1 cucchiaino di cloruro di calcio diluito in ¼ di tazza di acqua non clorata fredda 4 gocce di caglio diluito in ¼ di tazza di acqua non clorata
- Sale kosher (preferibilmente di marca Diamond Crystal)

1. In una pentola non reattiva da 10 quarti, riscaldare il latte a fuoco basso a 95 ° F; questo dovrebbe richiedere circa 25 minuti. Spegni il fuoco.

2. Cospargere lo starter e lo stampo in polvere sui latti e lasciare reidratare per 5 minuti. Mescolare bene usando una frusta con un movimento su e giù. Aggiungere il cloruro di calcio e mescolare delicatamente, quindi aggiungere il caglio allo stesso modo. Coprite e lasciate riposare, mantenendo 35 ° F per un massimo di 18 ore, o fino a quando la cagliata non darà una pausa pulita.

3. Posizionare una griglia su un vassoio, seguita da una stuoia di formaggio. Posizionare 2 stampini Camembert sul tappetino. Utilizzando una schiumarola, versare delicatamente la cagliata negli stampini. Lasciar scolare a temperatura ambiente per 8-10 ore o fino a quando la cagliata non si sarà compressa a 1 ½ o 2 pollici.

4. Cospargere ¼ di cucchiaino di sale kosher sopra ogni formaggio nello stampo. Dopo 10-12 ore di sgocciolamento, la cagliata sarà rm e manterrà la sua forma. Sformare i formaggi, passarli e rimetterli sulla griglia per scolare ulteriormente. Cospargere un altro ¼ di cucchiaino di sale sopra ogni formaggio.

5. Lasciare scolare i formaggi per 2 ore, quindi posizionare i formaggi su una piastra da formaggio pulita in una scatola di stagionatura. Copri la scatola con il coperchio e lascia maturare a 77 ° F e dal 92 al 95% di

umidità. Ogni 8 ore, allentare il coperchio per consentire la circolazione dell'aria.

6. Dopo 30-48 ore (a seconda di quando il siero di latte smette di drenare), abbassa la temperatura a 55 ° F e mantieni l'umidità dal 92 al 95 percento.

7. Dopo circa 5 giorni appariranno i segni di una superficie bianco crema. Continua a pipare i formaggi ogni giorno e rimuovi l'umidità in eccesso dalla scatola. Dopo 7-10 giorni, i formaggi avranno una tonalità di superficie rosata. Dopo 3 o 4 settimane potrebbe essersi formata della muffa blu sulla superficie.

8. A questo punto il formaggio sarà molto maturo, e appena contenuto dalla sua crosta sottile. Puoi usare i formaggi ora, avvolgerli e conservarli in frigorifero o continuare a stagionare fino a 3 mesi.

17. Saint-marcellin

FA quattro giri da 3 once

- 3 litri di latte vaccino intero pastorizzato
- 1 cucchiaino di coltura starter mesofila in polvere Meso II Pizzico di polvere di muffa di Penicillium candidum
- Un pizzico di Geotrichum candidum 15 muffa in polvere
- ¼ di cucchiaino di cloruro di calcio diluito in ¼ di tazza di acqua fredda non clorata 6 gocce di caglio liquido diluito in ¼ di tazza di acqua fredda non clorata
- 3 cucchiaini di sale kosher (preferibilmente di marca Diamond Crystal) o sale di formaggio

1. In una pentola non reattiva da 4 quarti, riscaldare il latte a fuoco basso a 75 ° F; questo dovrebbe richiedere circa 12 minuti. Spegni il fuoco.

2. Cospargere lo starter e le polveri dello stampo sul latte e lasciare reidratare per 5 minuti. Mescolare bene usando una frusta con un movimento su e giù. Aggiungere il cloruro di calcio e frullare delicatamente, quindi aggiungere il caglio allo stesso modo. Copri e lascia riposare, mantenendo 72 ° F a 75 ° F per 12 ore.

3. Tagliare la cagliata a fette da ½ pollice usando un mestolo o una schiumarola. Utilizzando una spatola di gomma, mescolare delicatamente attorno ai bordi della pentola, quindi lasciare riposare la cagliata per 5 minuti.

4. Adagiare una griglia su una teglia, quindi adagiarvi 4 stampini Saint-Marcellin. Versare la cagliata in uno scolapasta o un colino rivestito di mussola di burro umida e lasciare scolare per 15 minuti. Versare la cagliata negli stampini fino alla loro sommità, quindi lasciare scolare fino a quando non sarà possibile aggiungere altra cagliata agli stampi.

5. Non essere tentato di aggiungere un altro stampo; la cagliata si comprimerà mentre il siero di latte fuoriesce. Il processo richiederà circa 30 minuti. Scolare la cagliata a temperatura ambiente. Dopo 6 ore, passare i formaggi negli stampini e cospargere le cime con 1 cucchiaino e mezzo di sale. Lasciar scolare per altre 6 ore, quindi ripassare i formaggi negli stampini e cospargere le cime con i restanti 1 cucchiaino e mezzo di sale e scolare per altre 6 ore.

6. Sformare i formaggi e metterli su una piastra per formaggi in una scatola di stagionatura. Coprite la scatola senza stringere e lasciate scolare i formaggi a temperatura ambiente per 48 ore, ungendo i formaggi quotidianamente e rimuovendo l'eventuale siero di latte accumulato.

7. Maturare a 55 ° F e al 90% di umidità per 14 giorni, o fino a quando una muffa bianca sfocata non si è sviluppata per coprire il formaggio, Yipping i formaggi ogni giorno e continuando a rimuovere il siero di latte. I formaggi a questo punto sono pronti da mangiare, oppure possono essere ulteriormente stagionati.

8. Posizionare ogni disco in un vaso di terracotta poco profondo e coprire con pellicola trasparente o il coperchio del coccio. Se non si utilizzano i crocks, avvolgere i formaggi in carta da formaggio o pellicola trasparente e conservare in frigorifero per un massimo di 6 settimane.

18. Valençay

PRODUCE quattro formaggi a forma di piramide da 3 a
4 once

- 1 gallone di latte di capra pastorizzato
- 1 cucchiaino di coltura starter mesofila in polvere Meso I
  o Aroma B ⅛ cucchiaino di muffa in polvere di
  Penicillium candidum
- Un pizzico di Geotrichum candidum 15 muffa in polvere
- 1 cucchiaino di cloruro di calcio diluito in ¼ di tazza di
  acqua fredda non clorata
- 1 cucchiaino di caglio liquido diluito in ¼ di tazza di
  acqua fredda non clorata
- 1 tazza di cenere vegetale in polvere
- 2 cucchiaini di sale marino

1. In una pentola non reattiva da 6 quarti, riscaldare il latte a fuoco basso a 72 ° F; questo dovrebbe richiedere circa 10 minuti. Spegni il fuoco.

2.   Cospargere la polvere di antipasto e stampo sulla superficie del latte e lasciare reidratare per 5 minuti. Mescolare bene usando una frusta con un movimento su e giù. Aggiungere il cloruro di calcio e mescolare delicatamente per 1 minuto, quindi aggiungere il caglio allo stesso modo. Copri e lascia riposare, mantenendo i 72 ° F per 12ore o fino a quando la cagliata non dà una rottura netta.

3.   Tagliare la cagliata a fette da ½ pollice usando un mestolo o una schiumarola. Utilizzando una spatola di gomma, mescolare delicatamente attorno ai bordi della pentola per 5 minuti, quindi lasciare riposare la cagliata per 5 minuti.

4.   Adagiare una griglia su una teglia, quindi posizionare 4 stampi troncopiramidali sulla griglia. Versare le fette di cagliata negli stampini per riempire, quindi lasciare scolare fino a quando non sarà possibile aggiungere altra cagliata agli stampi. Non essere tentato di aggiungere un altro stampo; la cagliata si comprimerà mentre il siero di latte fuoriesce.

5. Coprite con uno strofinaccio e lasciate scolare i formaggi per 48 ore a temperatura ambiente, eliminando alcune volte il siero di latte mentre scolate e rimuovendo il siero raccolto con un tovagliolo di carta ogni volta che lo

scolate. Capovolgere gli stampini dopo 12 ore o quando i formaggi sono abbastanza rm da maneggiare, quindi Xip ancora qualche volta nelle successive 36 ore. Trascorse le 48 ore, la cagliata si sarà ridotta a circa la metà dell'altezza dello stampo.

6. Rimuovere gli stampini e unire la cenere vegetale con il sale in una piccola ciotola. Indossare usa e gettaguanti, utilizzare un colino a maglia unica per spolverare i formaggi con cenere vegetale, ricoprendoli leggermente completamente. Picchietta delicatamente la cenere sulla superficie dei formaggi.

7. Posizionare i formaggi a una distanza di almeno 1 pollice l'uno dall'altro su un tappetino pulito in una scatola di maturazione. Coprite leggermente con il coperchio e lasciate riposare a temperatura ambiente per 24 ore. Elimina l'umidità dalla scatola,quindi maturare a 50 ° F a 55 ° F e al 90% di umidità per 3 settimane.

8. Per i primi giorni, regolare il coperchio in modo che sia leggermente aperto per una porzione di ogni giorno per mantenere il livello di umidità desiderato. La superficie dei formaggi dovrebbe apparire umida ma non bagnata.

9. Continua a ip i formaggi ogni giorno. Dopo circa 5 giorni, i segni Grst di muffa bianca fuzzy appariranno attraverso la cenere. Dopo 10-14 giorni i formaggi saranno completamente ricoperti di muffa bianca. Man mano che il formaggio continua a invecchiare, la superficie diventerà di un grigio molto chiaro.

10.   Avvolgere i formaggi in carta da formaggio e
       rimetterli nella scatola di stagionatura; inizieranno ad
       ammorbidirsi entro 1 settimana circa. Dopo un totale di 4
       settimane dall'inizio della stagionatura, avvolgere i
       formaggi in carta di formaggio fresco e conservarli in
       frigorifero. È meglio consumare questo formaggio
       quando ha raggiunto la maturazione desiderata, entro 4-6
       settimane dall'inizio della stagionatura.

FORMAGGI A CROSTA LAVATA E A CRISTINA SPALMATA

19. Trappista al coriandolo lavato alla birra

FA 1 libbra

- 1 gallone di latte vaccino intero pastorizzato
- 1 cucchiaino e mezzo di semi di coriandolo, schiacciati
- 1 ½ cucchiaino di scorza d'arancia granulata
- 1 cucchiaino di coltura starter mesofila in polvere Meso II
- 1 cucchiaino di cloruro di calcio diluito in ¼ di tazza di acqua fredda non clorata
- 1 cucchiaino di caglio liquido diluito in ¼ di tazza di acqua fredda non clorata
- Sale kosher (preferibilmente di marca Diamond Crystal)
- Una bottiglia di birra belga da 12 once a temperatura ambiente, più da 16 a 24 once in più per il lavaggio

1. In una casseruola non reattiva da 2 quarti, riscaldare 1 litro di latte a fuoco basso a 90 ° F; questo dovrebbe richiedere circa 20 minuti. Incorporare 1 cucchiaino di coriandolo e 1 cucchiaino di buccia d'arancia, quindi aumentare lentamente la temperatura a 110 ° F nel corso di 10 minuti. Spegni il fuoco, copri e lascia in infusione per 45 minuti o finché la temperatura non scende di nuovo a 90 ° F.

2. Mettere i restanti 3 litri di latte in una pentola da 6 quarti non reattiva. Versare il latte in infusione attraverso un colino Nne-mesh nella pentola più grande di latte e frullare per unire. Eliminare il coriandolo e l'arancia. Portare il latte a 90 ° F a fuoco basso; questo dovrebbe richiedere 5 minuti. Spegni il fuoco.

3. Cospargere lo starter sul latte e lasciarlo reidratare per 5 minuti. Mescolare bene usando una frusta con un movimento su e giù. Coprite e mantenete a 90 ° F, lasciando maturare il latte per pochi minuti. Aggiungere il cloruro di calcio e mescolare delicatamente per 1 minuto, quindi aggiungere il caglio allo stesso modo. Copri e lascia riposare, mantenendo 90 ° F per 1un'ora o fino a quando la cagliata non dà una rottura netta.

4. Mantenendo ancora 90 ° F, tagliare la cagliata in pezzi da ½ pollice e lasciare riposare per 10 minuti. Mescolare delicatamente la cagliata per 15 minuti per espellere più siero, quindi lasciare riposare per altri 10 minuti. La cagliata si ridurrà alle dimensioni di piccoli fagioli. Nel frattempo, scalda 2 litri d'acqua a 175 ° F. Mestoloo abbastanza siero di latte per esporre la cagliata. Aggiungi

abbastanza acqua calda per portare la temperatura a 33 °
F.

5. Mescola per 10 minuti. Ripeti il processo di rimozione del
siero di latte e aggiungi acqua calda, questa volta portando
la temperatura a 100 ° F. Mescolare per 15 minuti, quindi
lasciare riposare la cagliata per 10 minuti. Coprite e
lasciate riposare per 45 minuti, mantenendo 100 ° F. La
cagliata maturerà e formerà una lastra.

6. Scolare oD abbastanza siero di latte per esporre la
lastra di cagliata. Trasferisci la lastra in uno scolapasta a
fondo tino, posizionala sopra la pentola e lasciala scolare
per 5 minuti. Trasferire la lastra su un tagliere e tagliarla a
fette spesse pollici. Mettere in una ciotola e condire
delicatamente con 2 cucchiaini di sale.

7. Foderare uno stampo per tomme da 5 pollici con una
garza umida e posizionarlo su uno scolapiatti.
Confezionare ermeticamente metà della cagliata nello
stampo, coprire con le code di stoffa e il follower, e
pressare a 5 libbre per 10 minuti, solo per compattare
leggermente la cagliata. Sbucciare la stoffa e cospargere
con il restante ½ cucchiaino di coriandolo e ½ cucchiaino
di scorza d'arancia, quindi impacchettare il resto della
cagliata macinata.

8. Coprite con le code di stoffa e il follower e pressate a 8
libbre per 6 ore a temperatura ambiente. Rimuovere il
formaggio dallo stampo, scartare, ip e riparare, quindi
premere di nuovo a 8 libbre per 8 ore per comprimere
completamente la cagliata.

9.   Versare la bottiglia di birra in un contenitore non reattivo con coperchio abbastanza grande da contenere sia la birra che il formaggio. Togli il formaggio dallo stampo e dalla garza e mettilo nella birra. Mettere a bagno il formaggio, coperto, per 8 ore a 15 ° C, ribaltando una volta.

10.   Rimuovere il formaggio dalla birra e asciugare tamponando. Riservare e conservare in frigorifero la birra e posizionare il formaggio su una stuoia di formaggio. Asciugare all'aria a temperatura ambiente per 12 ore. Rimetti il formaggio nella birra e lascia in ammollo per altre 12 ore a 18 ° C. Rimuovere, asciugare tamponando e asciugare all'aria a temperatura ambiente per 12 ore o fino a quando la superficie è asciutta al tatto. Scartare la birra.

11.   Preparare un lavaggio con salamoia: far bollire ½ tazza di acqua e lasciarla raffreddare, unire a ½ tazza di birra, quindi sciogliere 1 cucchiaino di sale nel liquido. Conservare in frigorifero.

12.   Posizionare il formaggio su una stuoia in una scatola di maturazione e maturare a 50 ° F e al 90% di umidità per 4-6 settimane. Capovolgi il formaggio ogni giorno per l'Orst 2 settimane, poi due volte a settimana in seguito.

13. Dopo ogni punta, versare un po 'di salamoia in un piattino, immergervi un pezzetto di garza e usarlo per pulire la superficie del formaggio. Eliminare l'eventuale soluzione di salamoia inutilizzata dopo 1 settimana e preparare una nuova infornata. Asciugare anche l'umidità

dal fondo, dai lati e dal coperchio della scatola di
stagionatura ogni volta che si pulisce il formaggio.

14.   Avvolgere il formaggio in carta da formaggio e
conservare in frigorifero per un massimo di 1 mese. Se
metti sottovuoto il formaggio, toglilo dalla confezione e
asciugalo tamponando prima di consumarlo.

20. Cabra al vino

RENDE 1 ½ libbra

*   2 galloni di latte di capra pastorizzato

- ¼ di cucchiaino di coltura starter mesofila in polvere Meso II
- 1 cucchiaino di cloruro di calcio diluito in ¼ di tazza di acqua fredda non clorata
- ¾ cucchiaino di caglio liquido diluito in ¼ di tazza di acqua fredda non clorata
- Sale kosher (preferibilmente di marca Diamond Crystal)
- Una bottiglia di vino rosso da 750 ml, raffreddata a 18 ° C

1. In una pentola non reattiva da 10 quarti, riscaldare il latte a fuoco basso a 90 ° F; questo dovrebbe richiedere circa 20 minuti. Spegni il fuoco.

2. Cospargere lo starter sul latte e lasciarlo reidratare per 5 minuti. Mescolare bene usando una frusta con un movimento su e giù. Coprite e mantenete a 90 ° F, lasciando maturare il latte per 30 minuti. Aggiungere il cloruro di calcio e mescolare delicatamente per 1 minuto, quindi aggiungere il caglio allo stesso modo. Copri e lascia riposare, mantenendo 90 ° F per 1un'ora o fino a quando la cagliata non dà una rottura netta.

3. Mantenendo ancora 90 ° F, tagliare la cagliata in pezzi da ¾ pollici e lasciare riposare per 5 minuti. Mescolate delicatamente la cagliata per 20 minuti, quindi lasciate riposare.

4. Nel frattempo, scalda 2 litri d'acqua a 175 ° F. Mestoloo abbastanza siero di latte per esporre la cagliata. Aggiungi abbastanza acqua calda per portare la temperatura a 33 ° F. Mescola per 5 minuti. Ripeti il

processo di rimozione del siero di latte e aggiunta di acqua calda, questa volta portando la temperatura a 32 ° C. Mescola per 15 minuti e poi lascia riposare la cagliata per 10 minuti.

5. Coprite e lasciate riposare per minuti, mantenendo i 30 ° C. La cagliata maturerà leggermente e formerà una lastra.

6. Scolareabbastanza siero di latte per esporre la lastra di cagliata. Usando un colino a rete o un mestolo, gira delicatamente la cagliata ogni 5 minuti per 15 minuti. Mettere la lastra in una ciotola e, con le mani, romperla in pezzi da ½ pollice e condire delicatamente con 2 cucchiaini di sale.

7. Foderare uno stampo per tomme da 8 pollici con mussola di burro umida e posizionarlo su uno scolapiatti. Riempite lo stampo con la cagliata macinata, ricoprite con le code della tela e del follower, e pressate a 5 libbre per 8 ore a temperatura ambiente. Rimuovere il formaggio dallo stampo, scartare, ip e riparare,quindi premere di nuovo a 5 libbre per 8 ore a temperatura ambiente.

8. Versare il vino in un contenitore non reattivo con coperchio abbastanza grande da contenere vino e formaggio. Togliete il formaggio dallo stampo e dalla tovaglia e adagiatelo nel vino. Mettere a bagno il formaggio, coperto, per 12 ore a 18 ° C, ribaltando una volta.

9.   Togliere il formaggio dal vino e asciugare tamponando. Riservare e conservare in frigorifero il vino e adagiare il formaggio su una stuoia da formaggio. Asciugare all'aria a temperatura ambiente per 12 ore. Rimettere il formaggio nel vino e immergere per altre 12 ore a 18 ° C. Rimuovere, asciugare tamponando e asciugare all'aria a temperatura ambiente per 12 ore o fino a quando la superficie è asciutta al tatto. Scartare il vino.

10.   Posizionare il formaggio su una stuoia in una scatola di maturazione e maturare a 50 ° F e 85% di umidità per 6 settimane. Capovolgi il formaggio ogni giorno perle prime 2 settimane, poi due volte alla settimana. Dopo ogni Fip, pulire la superficie con un pezzetto di garza imbevuta di una piccola quantità di salamoia: far bollire ½ tazza di acqua e lasciarla raffreddare, quindi aggiungere 1 cucchiaino di sale e mescolare per sciogliere.

11. Conservare in frigorifero. Il lavaggio con salamoia controllerà la crescita indesiderata di muffe. Eliminare il lavaggio con salamoia inutilizzato dopo 1 settimana e preparare un nuovo lotto. Elimina anche l'umidità dal fondo, dai lati e dal coperchio della scatola di stagionatura ogni volta che prendi il formaggio.

12.   Dopo 2 settimane di stagionatura, si può rivestire di cera il formaggio e conservare in frigorifero per tutta la durata della stagionatura: fino a 6 settimane. Se non vuoi applicare la cera, tieni semplicemente il formaggio nella scatola di stagionatura per 6 settimane come specificato al punto 9. Dopo circa 3 settimane e mezzo, il formaggio avrà un aroma di muffa, la cantina incontra il formaggio.

21. Pavé tramonto nel deserto

FA due formaggi da 10 once o un formaggio da 1 ½ libbra

- 2 galloni di latte vaccino intero pastorizzato
- 1 cucchiaino di coltura starter mesofila in polvere MA 4001
- ⅛ cucchiaino di polvere di muffa di Penicillium candidum
- Un pizzico di Geotrichum candidum 15 muffa in polvere
- 1 cucchiaino di cloruro di calcio diluito in ¼ di tazza di acqua fredda non clorata
- 1 cucchiaino di caglio liquido diluito in ¼ di tazza di acqua fredda non clorata
- Sale kosher (preferibilmente marca Diamond Crystal) per la salamoia e il lavaggio
- Annatto liquido per salamoia e lavaggio

1. In una pentola non reattiva da 10 quarti, riscaldare il latte a fuoco basso a 90 ° F; questo dovrebbe richiedere 20 minuti. Spegni il fuoco.

2.   Cospargere lo starter e le polveri dello stampo sul latte e lasciare reidratare per 5 minuti. Mescolare bene usando una frusta con un movimento su e giù. Coprite e mantenete a 90 ° F, lasciando maturare il latte per 1 ora. Aggiungere il cloruro di calcio e frullare delicatamente, quindi aggiungere il caglio allo stesso modo. Copri e lascia riposare, mantenendo 90 ° F per 30minuti, o fino a quando la cagliata non dà una rottura netta.

3. Mantenendo ancora 90 ° F, tagliare la cagliata in pezzi da ¾ di pollice e lasciare riposare per 5 minuti a rm up. Mescola delicatamente la cagliata per 30 minuti, rimuovendo 2 tazze di siero di latte ogni 10 minuti. Quindi lasciate riposare la cagliata per 10 minuti.

4.   Foderare uno stampo taleggio quadrato da 7 pollici o due stampi da formaggio quadrati da 4 pollici con mussola di burro umida. Posizionare gli stampini su una griglia scolata sopra una teglia e versare delicatamente la cagliata negli stampini, premendoli negli angoli con la mano. Coprire la cagliata con le code di stoffa e coprire l'intero setup con un canovaccio da cucina. Lasciar scolare per 6 ore al caldo della cucina. Rimuovere il formaggio dallo stampo, scartare, asciugare e ravvivare, quindi lasciare scolare per altre 6 ore.

5.   Due ore prima della fine del tempo di sgocciolamento, preparare una salamoia per ammollo

unendo 2 ½ tazze di acqua fredda non clorata, ½ tazza di sale e 8 gocce di annatto in un contenitore non reattivo con coperchio abbastanza grande da contenere la salamoia e il formaggio.

6. Mescolare per sciogliere completamente il sale, quindi raffreddare a una temperatura compresa tra 10 e 55 ° F. Togliete il formaggio dallo stampo e dal panno e mettetelo nella salamoia. Mettere a bagno il formaggio, coperto, a una temperatura compresa tra 10 e 55 ° F per 8 ore, bevendo almeno una volta.

7. Togli il formaggio dalla salamoia e asciugalo tamponando. Asciugare all'aria a temperatura ambiente su una stuoia o una griglia per formaggi per 24 ore o fino a quando la superficie è asciutta al tatto.

8. Posizionare il formaggio su una stuoia in una scatola di stagionatura e maturare a 50 ° F e 85% di umidità, ribaltando a giorni alterni. Almeno 2 ore prima di immergere il formaggio per il tempo di riposo, fare un lavaggio in salamoia unendo 1 cucchiaino e mezzo di sale, 3 gocce di annatto e 1 tazza di acqua fredda non clorata in un barattolo di vetro sterilizzato; agitare bene per sciogliere il sale, quindi raffreddare a 50 ° F a 55 ° F.

9. Dopo ogni salvietta, versare un po 'di salamoia in un piattino, immergervi un pezzetto di garza, strizzarlo e usarlo per pulire la superficie del formaggio.

10. Eliminare il lavaggio con salamoia inutilizzato dopo 1 settimana e preparare un nuovo lotto. Elimina anche l'umidità dal fondo, dai lati e dal coperchio della scatola di stagionatura ogni volta che prendi il formaggio. 8.

11. La crosta diventerà croccante e compatta, e in 10-14 giorni si svilupperà un colore arancione; questo si approfondirà con l'invecchiamento dei formaggi. Dopo 4 settimane, la crosta dovrebbe essere leggermente umida e il centro del formaggio dovrebbe essere morbido; a questo punto è pronto da mangiare. Consumare entro 2 settimane.

22. Stile teleme a crosta lavata

FA 2 libbre

- 2 galloni di latte vaccino intero pastorizzato
- 1 cucchiaino di coltura starter mesofila in polvere MA 4001
- 1 cucchiaino di cloruro di calcio diluito in ¼ di tazza di acqua fredda non clorata

- 1 cucchiaino di caglio liquido diluito in ¼ di tazza di acqua fredda non clorata
- 2 cucchiai di sale kosher (preferibilmente di marca Diamond Crystal) o sale di formaggio

1. In una pentola non reattiva da 10 quarti, riscaldare il latte a fuoco basso a 30 ° C; questo dovrebbe richiedere 15 minuti. Spegni il fuoco.

2. Cospargere lo starter sul latte e lasciarlo reidratare per 5 minuti. Mescolare bene usando una frusta con un movimento su e giù. Copri e mantieni la temperatura di 30 ° C, lasciando maturare il latte per 1 ora. Aggiungere il cloruro di calcio e mescolare delicatamente per 1 minuto, quindi aggiungere il caglio allo stesso modo. Coprite e lasciate riposare, mantenendo la temperatura di 30 ° C per 30-45 minuti, o finché la cagliata non darà una pausa pulita.

3. Tagliare la cagliata in pezzi da 1 ½ pollice e lasciar riposare per 5 minuti. A fuoco basso, porta lentamente la cagliata a 102 ° F per un periodo di 40 minuti, mescolando continuamente per evitare che si opacizzino. La cagliata rilascerà più siero di latte, Orm up, e si ridurrà alle dimensioni di grandi fagioli di Lima.

4. Una volta raggiunti i 40 ° C, togliete dal fuoco, mantenete la temperatura e lasciate riposare la cagliata indisturbata per 30 minuti. Riscalda 2 litri d'acqua a 120 ° F. Mestolo o + abbastanza siero di latte per esporre la

cagliata. Aggiungi abbastanza acqua calda per portare la temperatura a 40 ° C. Mescola continuamente per 15 minuti o fino a quando la cagliata non si aderisce quando viene premuta in mano.

5. Foderare uno scolapasta con mussola di burro umida e posizionarlo su una ciotola o un secchio abbastanza grande da catturare il siero, che può essere scartato. Versare delicatamente la cagliata nello scolapasta e sciacquare con acqua fredda non clorata per raffreddarli. Lasciate scolare per 5 minuti, poi aggiungete 1 cucchiaio di sale e mescolate delicatamente e accuratamente con le mani.

6. Posizionare un tappetino su una griglia scolapiatti posta sopra una teglia, quindi adagiare sul tappetino uno stampo taleggio quadrato da 7 pollici. Mettere il sacco di cagliata sciacquata nello stampo e pressare la cagliata negli angoli. Coprire la parte superiore della cagliata con le code di stoffa e premere con le mani per far maturare la cagliata. Lasciate scolare a temperatura ambiente per 6 ore per il formaggio umido, o 8 ore per un formaggio Xrmer. Gira il formaggio una volta a metà di questo periodo di scolatura.

7. Togli il formaggio dallo stampo e asciugalo tamponando. Strofinare la superficie del formaggio con il restante 1 cucchiaio di sale e rimetterlo nello stampo senza il panno. Rimettere lo stampo sul tappetino sullo scolapiatti per 12 ore,Immergersi una volta in quel momento.

8.   Rimuovere il formaggio dallo stampo e metterlo in una scatola di stagionatura a una temperatura compresa tra 50 ° F e 55 ° F e 85% di umidità per almeno 2 settimane, ribaltando il formaggio ogni giorno per una maturazione uniforme.

9. Dopo 1 settimana, lavare con una semplice soluzione di salamoia due volte a settimana per un massimo di 2 mesi di maturazione. Quando viene raggiunta la maturità desiderata, avvolgere e conservare in frigorifero fino al momento di mangiare.

23. Capra spiritosa di vodka al limone

RENDE 1 ½ libbra

- 2 galloni di latte di capra pastorizzato
- 1 cucchiaino di coltura starter mesofila in polvere MM 100
- ¼ di cucchiaino Thermo B in polvere starter termofilo coltura Geotrichum candidum 15 muffa in polvere
- ¼ di cucchiaino di cloruro di calcio diluito in ¼ di tazza di acqua fredda non clorata

- 1 cucchiaino di caglio liquido diluito in ¼ di tazza di acqua fredda non clorata
- Sale kosher (preferibilmente di marca Diamond Crystal) o sale di formaggio Un pizzico di polvere di lino Brevibacterium
- 1 tazza di Charbay Meyer Lemon Vodka o altra vodka al limone

1. In una pentola non reattiva da 10 quarti, riscaldare il latte a fuoco basso a 90 ° F; questo dovrebbe richiedere circa 20 minuti. Spegni il fuoco.

2. Cospargere entrambi gli antipasti e un pizzico di stampo in polvere sul latte e lasciare reidratare per 5 minuti. Mescolare bene usando una frusta con un movimento su e giù. Coprite e mantenete a 90 ° F, lasciando maturare il latte per 45 minuti. Aggiungere il cloruro di calcio e mescolare delicatamente per 1 minuto, quindi aggiungere il caglio allo stesso modo. Copri e lascia riposare, mantenendo 90 ° F per 30-45 minuti, o fino a quando la cagliata non si rompe.

3. Sempre mantenendo 90 ° F, tagliare la cagliata a pezzi da ½ pollice e lasciar riposare per 10 minuti. Mescolare delicatamente la cagliata per 10 minuti,poi lasciate riposare per 30 minuti. Aumenta lentamente la temperatura a 100 ° F per 30 minuti, mescolando la cagliata ogni 5 minuti. Lasciate riposare la cagliata per circa 10 minuti; affonderanno fino in fondo.

4.   Versare abbastanza siero di latte per esporre la cagliata, quindi versare delicatamente la cagliata in uno scolapasta rivestito di mussola di burro umida e lasciare scolare per 5 minuti.

5.   Foderare uno stampo per tomme da 8 pollici o uno stampo per Taleggio quadrato da 7 pollici con mussola di burro inumidita e adagiarlo su uno scolapiatti. Trasferire la cagliata nello stampo, distribuendo delicatamente e pressando nello stampo con la mano. Coprite la cagliata con le code di stoffa e un follower e pressate a 3 libbre per 1 ora.

6.   Rimuovere il formaggio dallo stampo, scartare, versare e riparare, quindi premere a 5 libbre per 12 ore, Mance una volta ogni 6 ore.

7.   Preparare 2 quarti di salamoia satura (vedere la tabella della salamoia) e raffreddare a una temperatura compresa tra 50 ° F e 55 ° F. Rimuovere il formaggio dallo stampo e dal panno e metterlo nella salamoia a bagno a 50 ° F a 55 ° F per 8 ore, ribaltando almeno una volta durante il processo di salatura.

8.   Togli il formaggio dalla salamoia e asciugalo tamponando. Asciugare all'aria su una stuoia per formaggio a temperatura ambiente per 12 ore o fino a quando la superficie è asciutta.

9.   Posizionare il formaggio su una stuoia in una scatola di stagionatura e invecchiare a una temperatura compresa

tra 10 e 55 ° F e il 90% di umidità, bevendo ogni giorno
per 1 settimana. Ogni volta che metti il formaggio,
rimuovi l'umidità dal fondo, dai lati e dal coperchio della
scatola.

10.   Dopo 1 settimana, iniziare a lavare la superficie con
lavaggio batterico. Dodici ore primaal primo lavaggio,
preparare la soluzione sciogliendo 1 ½ cucchiaino di sale
in 1 tazza di acqua fredda non clorata in un barattolo di
vetro sterilizzato. Aggiungere 1 pizzico ciascuno di
polvere di stampo Geotrichum candidum e polvere di
lino B., frullare per incorporare, coprire e conservare a 55
° F.

11.   Quando è pronto per il lavaggio, versare 1 cucchiaio e
mezzo di lavaggio batterico in una piccola ciotola,
conservando il resto per un altro lavaggio. Immergi un
pezzetto di garza nella soluzione, strizzalo per eliminare
l'eccesso e strofinalo su tutta la superficie del formaggio.
Usando un tovagliolo di carta, rimuovi l'umidità in
eccesso dalla scatola di maturazione. Capovolgi il
formaggio e rimettilo nella scatola di stagionatura.
Eliminare l'eventuale detergente batterico rimasto nella
ciotola.

12.   Lavare il formaggio due volte a settimana per 2 mesi,
alternando il lavaggio batterico con il superalcolico. Per
lavare con la vodka, versare un po 'di vodka in una
ciotola, immergervi un pezzetto di garza, strizzarlo e
strofinarlo su tutta la superficie del formaggio.

13. Getta la vodka rimasta nella ciotola. La crosta diventerà
leggermente appiccicosa e dopo 10-14 giorni si svilupperà

un colore arancione chiaro, che si approfondirà con la stagionatura del formaggio. A 2 mesi la crosta deve essere solo leggermente umida e il formaggio deve essere morbido al tatto al centro; ora è pronto da mangiare. Il formaggio va consumato entro 3 mesi.

24. Époisses

FA due formaggi da ½ libbra

- 1 gallone di latte vaccino intero pastorizzato
- 1 cucchiaino di coltura starter mesofila in polvere Meso II
- Un pizzico di polvere di lino Brevibacterium
- ¼ di cucchiaino di cloruro di calcio diluito in ¼ di tazza di acqua fredda non clorata
- 2 gocce di caglio liquido diluito in ¼ di tazza di acqua fredda non clorata
- Sale kosher (preferibilmente di marca Diamond Crystal)
- 3 tazze di acquavite Marc de Bourgogne, altra acquavite di vinacce simile o grappa

1. In una pentola non reattiva da 10 quarti, riscaldare il latte a fuoco basso a 30 ° C; questo dovrebbe richiedere circa 15 minuti. Spegni il fuoco.

2. Cospargere lo starter e la polvere di lino B. sul latte e lasciare reidratare per 5 minuti. Mescolare bene usando una frusta con un movimento su e giù. Coprire e mantenere la temperatura di 30 ° C, lasciando maturare il latte per 30 minuti. Aggiungere il cloruro di calcio e mescolare delicatamente per 1 minuto, quindi aggiungere il caglio allo stesso modo. Coprite e lasciate maturare il latte per 4 ore a temperatura ambiente, fino a quando la cagliata non darà una rottura netta.

3. A fuoco basso, riporta la cagliata a 30 ° C. Taglia la cagliata a pezzi da ¾ di pollice e lasciala riposare per 5

minuti. A questo punto la cagliata sarà estremamente morbida.

4.   Foderare due stampini Camembert da 4 pollici con una garza umida e adagiarli su uno scolapiatti su un vassoio. Versare delicatamente la cagliata negli stampini, coprire con le code di stoffa e coprire l'intera preparazione con un canovaccio da cucina. Lasciate scolare per 24 ore a temperatura ambiente, preferibilmente al caldo della cucina. Una volta che la cagliata sgocciolata si è ridotta a metà dell'altezza degli stampi, stagionare i formaggi ogni 2 ore.

5.   Togliete i formaggi dagli stampini e dalla stoffa. Strofina circa 1 cucchiaino di sale su tutta la superficie di ogni formaggio. Asciugare all'aria a temperatura ambiente su una griglia per 18 ore, fino a quando la superficie è asciutta al tatto.

6.   Posizionare i formaggi su una stuoia in una scatola di maturazione e invecchiare a 50 ° F e al 90% di umidità,

7. ipping ogni 3 giorni per 6 settimane. Prima di strappare il formaggio la prima volta, fai un lavaggio in salamoia sciogliendo 1 cucchiaino di sale in ½ tazza di acqua bollita e raffreddandolo a 50 ° F a 55 ° F. Ogni volta che metti il formaggio, prima usa un tovagliolo di carta per rimuovere l'umidità dalla superficie del formaggio, quindi pulisci l'intera superficie del formaggio con un pezzetto di garza imbevuto di salamoia. Eliminare il lavaggio con salamoia inutilizzato. Usa anche un tovagliolo di carta per

rimuovere l'umidità dal fondo, dai lati e dal coperchio della scatola di stagionatura ogni volta che metti il formaggio.

8.

9. Dopo la prima settimana, inizia ad alternare il lavaggio con salamoia con un lavaggio di brandy diluito (50% di brandy e 50% di acqua). Versare un po 'di brandy diluito in un piattino, immergervi un pezzetto di garza e strofinarlo su tutta la superficie del formaggio. Getta il brandy wash rimasto nel piatto. Dopo 3 settimane, inizia ad alternare il lavaggio in salamoia con il brandy non diluito.

10. Continua a lavare e Chiudere il formaggio ogni 3 giorni per un totale di 6 settimane. La crosta diventerà leggermente collosa e molto aromatica, e dopo 10-14 giorni si svilupperà un colore arancio chiaro; questo cambierà nel colore del brandy utilizzato e diventerà più profondo con la stagionatura del formaggio. A 6 settimane, la crosta dovrebbe essere umida ma non appiccicosa, il centro del formaggio dovrebbe essere molto morbido e la pasta dovrebbe essere liquida. Quando il formaggio si avvicina alla maturazione desiderata, trasferirlo nella tradizionale scatola di legno per formaggi per finire (vedi nota di testa). Sposta il formaggio in frigorifero quando è completamente maturo e consumalo entro 2 settimane.

25. Morbier

RENDE 1 libbre

* 2 galloni di latte vaccino intero pastorizzato

* 1 cucchiaino di coltura starter mesofila in polvere Meso II
* Brevibacterium lino in polvere
* ½ cucchiaino di cloruro di calcio diluito in ¼ di tazza di acqua fredda non clorata
* ½ cucchiaino di caglio liquido diluito in ¼ di tazza di acqua fredda non clorata
* ⅛ cucchiaino di cenere vegetale mescolata con ⅛ cucchiaino di sale marino alle ginocchia
* Sale kosher (preferibilmente di marca Diamond Crystal) o sale al formaggio

1. In una pentola non reattiva da 10 quarti, riscaldare il latte a fuoco basso a 90 ° F; questo dovrebbe richiedere circa 20 minuti. Spegni il fuoco.

2. Cospargere lo starter e un pizzico di polvere di lino B. sul latte e lasciare reidratare per 5 minuti. Mescolare bene usando una frusta con un movimento su e giù. Coprite e mantenete a 90 ° F, lasciando maturare il latte per 1 ora. Aggiungere il cloruro di calcio e mescolare delicatamente per 1 minuto, quindi aggiungere il caglio allo stesso modo.

3. Coprite e lasciate riposare, mantenendo 90 ° F per 30 minuti, o fino a quando la cagliata non darà una pausa pulita.

4.   Mantenimento di 90 °F, tagliare la cagliata in pezzi da ¾ di pollice e lasciare riposare per 5 minuti. A fuoco molto basso, aumenta lentamente la temperatura a 100 ° F in 30 minuti, mescolando alcune volte. Lasciar riposare la cagliata per circa 10 minuti. Utilizzando un misurino, rimuovere circa la metà del siero di latte e sostituirlo con una quantità sufficiente di acqua a 110 ° F in modo che la cagliata raggiunga i 104 ° F. Mescolare delicatamente per 5 minuti, quindi lasciare riposare la cagliata.

5.   Foderare 2 scolapasta con mussola di burro inumidita, dividere la cagliata tra loro e lasciare scolare per 20 minuti. Foderare uno scolapiatti con salviette di carta umide, estendendo gli asciugamani di pochi centimetri oltre i bordi del rack e posizionare uno stampo per tomme da 8 pollici sopra. Foderare lo stampo con la mussola al burro umida.

6. Trasferire nello stampo il contenuto di 1 colino di cagliata sgocciolata e pressare la cagliata nei bordi con le mani. Indossando guanti monouso, utilizzare un colino a rete per spolverare accuratamente la superficie della cagliata con la cenere fino a ½ pollice dal bordo.

7. Gli asciugamani di carta inumiditi dovrebbero raccogliere la cenere dispersa. Aggiungere delicatamente il secondo lotto di cagliata sopra lo strato di cenere e premere sui bordi con le mani. Tirare su il panno e appianare eventuali pieghe, quindi coprire la cagliata con le code di stoffa e il follower e premere a 5 libbre per 1 ora. Rimuovere il formaggio dallo stampo, scartare, ip e riparare, quindi premere a 8 libbre per 12 ore o durante la notte.

8. Preparare 2 quarti di salamoia quasi satura (vedere la tabella della salamoia) e raffreddare a una temperatura compresa tra 50 ° F e 55 ° F. Rimuovere il formaggio dallo stampo e dal panno e metterlo nella salamoia a bagno a 50 ° F a 55 ° F per 6 ore,Kipping almeno una volta durante il processo di salamoia.

9. Togli il formaggio dalla salamoia e asciugalo tamponando. Mettilo su una stuoia di formaggio e lascia asciugare all'aria a temperatura ambiente per 12 ore, o fino a quando la superficie è asciutta al tatto.

10. Metti il formaggio su una stuoia in una scatola di stagionatura per invecchiare a una temperatura compresa tra 10 e 55 ° F e un'umidità compresa tra l'85 e il 90% per 1 settimana. Flipogni giorno, utilizzando un tovagliolo di

carta per rimuovere l'umidità accumulata nella scatola ogni volta che si rovescia il formaggio.

11. Dopo 1 settimana, lavare la superficie con lavaggio batterico. Dodici ore prima di questo lavaggio, preparare la soluzione: far bollire ½ tazza di acqua e lasciarla raffreddare in un barattolo di vetro, quindi aggiungere 1 cucchiaino di sale kosher e mescolare per sciogliere. Aggiungere un pizzico di polvere di lino B., coprire il barattolo con il coperchio e agitare delicatamente per scioglierlo. Metti da parte a temperatura ambiente affinché i batteri si reidratino.

12.   Quando è pronto per il lavaggio, versare 1 cucchiaio e mezzo di lavaggio batterico in una piccola ciotola, conservando il resto per un altro lavaggio. Immergi un pezzetto di garza nella soluzione, strizzalo per eliminare l'eccesso e strofinalo su tutta la superficie del formaggio. Capovolgi il formaggio e rimettilo nella scatola di stagionatura. Eliminare l'eventuale detergente batterico rimasto nella ciotola.

13.   Due volte alla settimana, lavare il formaggio con un pezzo di garza imbevuta di salamoia semplice (vedi tabella salamoia) o strofinare la superficie del formaggio con una spazzola morbida imbevuta di salamoia. Ripeti questo processo due volte a settimana per 2 mesi,
14. Sfornando il formaggio ogni volta. La crosta diventerà leggermente appiccicosa e dopo 10-14 giorni si svilupperà un colore arancione chiaro, che diventerà più intenso con la maturazione del formaggio.

15. Dopo 3 settimane, la pasta sotto la superficie ai bordi del formaggio inizierà ad essere morbida. Continua a lavare o spazzolare per 2 mesi.

16. A 2 mesi la crosta deve essere solo leggermente umida (non appiccicosa) e il formaggio deve essere morbido al tatto; ora è pronto da mangiare. Oppure, avvolgere il formaggio in carta da formaggio e conservare in frigorifero per invecchiare per un massimo di altri 2 mesi, se lo si desidera.

26. Port salut

RENDE 1 ¼ libbre

- 6 litri di latte vaccino intero pastorizzato
- 1 cucchiaino di Meso II in polvere di coltura mesofila starter Brevibacterium lino in polvere
- 1 cucchiaino di cloruro di calcio diluito in ¼ di tazza di acqua fredda non clorata
- 1 cucchiaino di caglio liquido diluito in ¼ di tazza di acqua fredda non clorata Sale kosher (preferibilmente di marca Diamond Crystal) o sale per formaggio

1. In una pentola da 8 quarti non reattiva, scalda il latte a fuoco basso a 90 ° F; questo dovrebbe richiedere circa 20 minuti. Spegni il fuoco.

2. Cospargere lo starter e un pizzico di polvere di lino B. sul latte e lasciare reidratare per 5 minuti. Mescolare bene usando una frusta con un movimento su e giù. Coprite e mantenete a 90 ° F, lasciando maturare il latte per 1 ora. Aggiungere il cloruro di calcio e mescolare delicatamente per 1 minuto, quindi aggiungere il caglio allo stesso modo. Copri e lascia riposare, mantenendo 90 ° F per 30minuti, o fino a quando la cagliata non dà una rottura netta.

3. Tagliate la cagliata a pezzi da ½ pollice e lasciate riposare per 10 minuti. Nel frattempo, scalda 1 litro d'acqua a 140 ° F. Mestoloo circa un terzo del siero di latte e sostituire con acqua a 140 ° F sufficiente per portare la temperatura a 92 ° F. Mescolare delicatamente per 10 minuti, quindi lasciare riposare la cagliata per 10 minuti. Ripeti il processo, rimuovendo di nuovo un terzo del siero di latte e questa volta aggiungendo abbastanza acqua a 140 ° F per portare la temperatura a 30 ° C. Mescolare delicatamente per 10 minuti, quindi lasciare riposare la cagliata per 15 minuti.

4. Foderare uno scolapasta con una garza umida, versarvi dentro la cagliata e lasciare scolare per 10 minuti. Foderare uno stampo per tomme da 5 pollici con una garza umida e posizionarlo su uno scolapiatti. Trasferire la cagliata scolata nello stampo per formaggio foderato, premendo la cagliata nei bordi con la mano.

5. Tirare su il panno e appianare eventuali pieghe, coprire la cagliata con le code di stoffa e il follower e premere a 5 libbre per 30 minuti. Rimuovere il formaggio dallo stampo, scartare, versare la punta e riparare, quindi premere a 8 libbre per 12 ore o durante la notte.

6. Preparare 2 quarti di salamoia satura (vedere la tabella della salamoia) e raffreddare a una temperatura compresa tra 50 ° F e 55 ° F. Rimuovere il formaggio dallo stampo e dal panno e metterlo nella salamoia a bagno a 50 ° F a 55 ° F per 8 ore, versando almeno una volta durante il processo di salamoia.

7. Togli il formaggio dalla salamoia e asciugalo tamponando. Mettere su una stuoia di formaggio e asciugare all'aria a temperatura ambiente per 12 ore. Posizionare il formaggio su una stuoia in una scatola di stagionatura e invecchiare a una temperatura compresa tra 10 e 55 ° F e un'umidità compresa tra il 90 e il 95%, bevendo giornalmente per 1 settimana. Ogni volta che metti il formaggio, rimuovi l'umidità dal fondo, dai lati e dal coperchio della scatola di stagionatura con un tovagliolo di carta.

8. Dopo 1 settimana, iniziare a lavare la superficie con lavaggio batterico. Dodici ore primaal primo lavaggio, preparare la soluzione: portare a ebollizione ½ tazza di acqua e lasciarla raffreddare in un barattolo di vetro, quindi aggiungere 1 cucchiaino di sale kosher e mescolare per far sciogliere.

9. Aggiungere un pizzico di polvere di lino B., coprire il barattolo con il coperchio e agitare delicatamente per scioglierlo. Metti da parte a temperatura ambiente affinché i batteri si reidratino.

10. Quando è pronto per il lavaggio, versare 1 cucchiaio e mezzo di lavaggio batterico in una piccola ciotola, conservando il resto per un altro lavaggio. Immergi un pezzetto di garza nella soluzione, spremi l'eccesso e strofina l'intera superficie del formaggio. Capovolgi il formaggio e rimettilo nella scatola di stagionatura. Eliminare l'eventuale detergente batterico rimasto nella ciotola.

11. Ripeti questo processo ogni 2 giorni, mescolando il formaggio ogni volta. Dopo aver lavato il formaggio con il lavaggio batterico 4 volte, passare alla salamoia (1 cucchiaino di sale sciolto in ½ tazza di acqua bollita, raffreddata a 50 ° F a 55 ° F).

12. La crosta diventerà leggermente appiccicosa e dopo 10-14 giorni si svilupperà un colore giallo-arancio chiaro; questo colore diventerà più intenso con la stagionatura del formaggio.

13. Continuare a lavare e maturare per 4 settimane in totale. A questo punto la crosta dovrebbe essere umida ma non appiccicosa e il centro del formaggio dovrebbe risultare un po 'morbido. Consumare entro 2 settimane dalla maturazione desiderata.

27. Reblochon

FA due formaggi da 1 libbra

- 2 galloni di latte vaccino intero pastorizzato
- 1 cucchiaino di coltura starter mesofila in polvere Meso II
- ⅛ cucchiaino di polvere di lino Brevibacterium
- 1 cucchiaino di cloruro di calcio diluito in ¼ di tazza di acqua fredda non clorata
- 1 cucchiaino di caglio liquido diluito in ¼ di tazza di acqua fredda non clorata
- Sale kosher (preferibilmente di marca Diamond Crystal) o sale al formaggio

1. In una pentola non reattiva da 10 quarti, riscaldare il latte a fuoco basso a 85 ° F; questo dovrebbe richiedere circa 15 minuti. Spegni il fuoco.

2.   Cospargere lo starter e la polvere di lino B. sul latte e
        lasciare reidratare per 5 minuti. Mescolare bene usando
        una frusta con un movimento su e giù. Coprire e
        mantenere 85 ° F, lasciando maturare il latte per 30
        minuti. Aggiungere il cloruro di calcio e mescolare
        delicatamente per 1 minuto, quindi aggiungere il caglio
        allo stesso modo. Copri e lascia riposare, mantenendo 85
        ° F per 30minuti, o fino a quando la cagliata non dà una
        rottura netta.

3.   Mantenendo ancora 85 ° F, tagliare la cagliata in pezzi
        da ½ pollice e lasciare riposare per 5 minuti. Riscaldare
        lentamente la cagliata a 35 ° F per 30 minuti, mescolando
        ogni 10 minuti, quindi togliere dal fuoco e lasciare
        riposare la cagliata.

4.   Mestola abbastanza siero di latte per esporre la
        cagliata. Foderare due stampini per tomme da 5 pollici
        con una garza umida e adagiarli su uno scolapiatti sopra
        un vassoio. Trasferire la cagliata negli stampi; potresti
        doverli ammucchiare negli stampini, ma si riempiranno
        tutti dopo 10-15 minuti di scolatura.

5.   Lasciate scolare per 15 minuti, poi tirate su il panno e
        levigate le rughe. Coprite la cagliata con le code di stoffa e
        le seguaci. Lasciate scolare sulla griglia per 30 minuti, poi
        Xip i formaggi, rimetteteli negli stampini e riposizionate i
        seguaci. Capovolgi ogni 20 minuti per 2 ore, quindi premi
        a 5 libbre per 12 ore o durante la notte.

6. Togliete i formaggi dagli stampini e dalla stoffa. Cospargere 1 cucchiaino di sale sulla parte superiore e inferiore di ogni formaggio. Mettere i formaggi su una stuoia in una scatola di stagionatura eetà a 55 ° F e 90% di umidità, Qipping a giorni alterni.

7. Prima di girare il formaggio la prima volta, fai un lavaggio in salamoia: fai bollire ½ tazza di acqua e lasciala raffreddare, quindi aggiungi 1 cucchiaino di sale kosher e mescola per sciogliere. Conservare in frigorifero. Ogni volta che si Uip il formaggio, pulire la superficie con un pezzetto di garza imbevuta di una piccola quantità di salamoia.

8. Il lavaggio con salamoia controllerà la crescita indesiderata di muffe. Eliminare l'eventuale lavaggio con salamoia inutilizzato e preparare un nuovo lotto ogni settimana. Elimina anche l'umidità dal fondo, dai lati e dal coperchio della scatola di stagionatura ogni volta che metti il formaggio.

9. Continua ad avvolgere e lavare il formaggio ogni 2 giorni per 2-6 settimane. Tra i 10 ei 14 giorni si svilupperà un colore giallo-arancio chiaro, che si approfondirà con la stagionatura del formaggio. A 4 settimane, la crosta dovrebbe essere umida ma non appiccicosa e il centro del formaggio dovrebbe essere morbido. Avvolgere il formaggio in carta da formaggio, conservare in frigorifero quando raggiunge la maturazione desiderata e consumare entro 2 settimane dalla maturazione desiderata.

28. Taleggio

FA un formaggio da 2 libbre o due formaggi da 1 libbra

- 2 galloni di latte vaccino intero pastorizzato
- 1 cucchiaino di coltura starter mesofila in polvere Meso II
- Un pizzico di polvere di lino Brevibacterium

- 1 cucchiaino di cloruro di calcio diluito in ¼ di tazza di acqua fredda non clorata
- 1 cucchiaino di caglio liquido diluito in ¼ di tazza di acqua fredda non clorata
- Sale kosher (preferibilmente di marca Diamond Crystal) o sale al formaggio

1. Riscaldare il latte in una pentola non reattiva da 10 quarti a fuoco basso a 90 ° F; questo dovrebbe richiedere 20 minuti. Spegni il fuoco.

2. Cospargere lo starter e la polvere di lino B. sul latte e lasciare reidratare per 5 minuti. Mescolare bene usando una frusta con un movimento su e giù. Coprite e mantenete a 90 ° F, lasciando maturare il latte per 1 ora. Aggiungere il cloruro di calcio e mescolare delicatamente per 1 minuto, quindi aggiungere il caglio allo stesso modo. Copri e lascia riposare, mantenendo 90 ° F per 30minuti, o fino a quando la cagliata non dà una rottura netta.

3. Mantenendo ancora 90 ° F, tagliare la cagliata in pezzi da ¾ pollici e lasciare riposare per 5 minuti. Mescola delicatamente la cagliata per 30 minuti, rimuovendo 2 tazze di siero di latte ogni 10 minuti. Quindi, lasciare riposare la cagliata indisturbata per 10 minuti.

4. Foderare uno stampo taleggio quadrato da 7 pollici o due stampi da formaggio quadrati senza fondo da 4 pollici con una garza umida e adagiarli su una griglia scolata sopra un vassoio. Versare delicatamente la cagliata negli stampini, premendola sui bordi con la mano.

5. Coprite con le code di stoffa e coprite l'intero setup con un canovaccio da cucina. Lasciate scolare per 12 ore a temperatura ambiente, preferibilmente al caldo della cucina. Ogni 2 ore, rimuovere il formaggio dallo stampo, scartare, ip e riparare.

6. Preparare 3 quarti di salamoia satura (vedere la tabella della salamoia) e raffreddare a una temperatura compresa tra 50 ° F e 55 ° F. Rimuovere il formaggio dallo stampo e dal panno e metterlo nella salamoia a bagno a 50 ° F a 55 ° F per 8 ore, versando almeno una volta durante il processo di salamoia.

7. Togli il formaggio dalla salamoia e asciugalo tamponando. Asciugare all'aria a temperatura ambiente su una stuoia di formaggio per 24 ore o fino a quando la superficie è asciutta al tatto. Mettere su un tappetino in una scatola di maturazione per invecchiare a 50 ° F e al 90% di umidità, ribaltando a giorni alterni.

8. Prima di versare il formaggio il tempo Krst, fai un lavaggio in salamoia: fai bollire ½ tazza di acqua e lasciala raffreddare, quindi aggiungi 1 cucchiaino di sale kosher e mescola per sciogliere. Conservare in frigorifero. Ogni volta che metti il formaggio, pulisci la superficie con un pezzetto di garza imbevuta di una piccola quantità di salamoia.

9. Il lavaggio con salamoia controllerà la crescita indesiderata di muffe. Eliminare l'eventuale lavaggio con salamoia inutilizzato e preparare un nuovo lotto ogni

settimana. Asciugare anche l'umidità dal fondo, dai lati e dal coperchio della scatola di stagionatura ogni volta che si pulisce il formaggio.

10.   Gira e lava il formaggio ogni 2 giorni per 4-5 settimane. Tra i 10 ei 14 giorni si svilupperà un colore giallo-arancio chiaro, che si approfondirà con la stagionatura del formaggio. Tra le 4 e le 5 settimane, la crosta dovrebbe essere umida ma non appiccicosa e il centro del formaggio dovrebbe essere morbido. Consumare entro 2 settimane dalla maturazione desiderata.

FORMAGGI BLU

29. Bloomy Blue Log Chèvre

FA due ceppi da 6 once

- 1 gallone di latte di capra pastorizzato
- 1 cucchiaino di coltura starter mesofila in polvere Aroma B.
- ⅛ cucchiaino di polvere di muffa di Penicillium candidum
- Un pizzico di Geotrichum candidum 15 muffa in polvere
- Un pizzico di polvere di muffa di Penicillium roqueforti
- 1 cucchiaino di cloruro di calcio diluito in ¼ di tazza di acqua fredda non clorata
- 1 cucchiaino di caglio liquido diluito in ¼ di tazza di acqua fredda non clorata
- 1 cucchiaio di sale marino Hne
- 1 ½ cucchiaio di cenere vegetale

1. Riscaldare il latte in una pentola non reattiva da 6 quarti a fuoco basso a 72 ° F; questo dovrebbe richiedere 10 minuti. Spegni il fuoco.

2. Cospargere lo starter e le polveri dello stampo sul latte e lasciare reidratare per 5 minuti. Mescolare bene usando una frusta con un movimento su e giù. Aggiungere il cloruro di calcio e mescolare delicatamente per 1 minuto, quindi aggiungere il caglio allo stesso modo.

3. Coprite e lasciate riposare, mantenendo i 72 ° F per 18 ore, o fino a quando la cagliata non forma una massa Xrm e il siero di latte non si ricopre in superficie.

4. Posizionare 2 stampini Camembert o altri stampi rotondi a lato dritto su una stuoia su una griglia di drenaggio sopra una teglia e sistemare al loro interno 2 stampini cilindrici Saint-Maure.

5. Con un mestolo o una schiumarola, tagliare delicatamente fette di cagliata spesse ½ pollice e metterle a strati negli stampi cilindrici a Oll. Lasciar sgocciolare finché non si sarà aggiunta altra cagliata negli stampini. Non essere tentato di aggiungere un altro stampo; la cagliata si comprimerà mentre il siero di latte fuoriesce, lasciando spazio a tutta la cagliata.

6. Coprite gli stampini, la griglia e la teglia con un canovaccio e lasciate scolare i formaggi per 24 ore a temperatura ambiente. Rimuovere il siero di latte

accumulato alcune volte durante lo scarico, spazzando via il vassoio quando lo fai. Capovolgere i formaggi dopo 6 ore, o quando sono abbastanza Krm da maneggiare, poi immergerli ancora qualche volta durante le 24ore. Trascorse le 24 ore, la cagliata si sarà ridotta a circa la metà dell'altezza delle forme.

7.   Una volta che i formaggi hanno smesso di scolarsi e la cagliata si è compressa al di sotto della metà degli stampi, rimuovere gli stampini e cospargere 2 cucchiaini di sale su tutta la superficie di ogni formaggio. Mettere sulla griglia per 10 minuti per far sciogliere il sale.

8.   In una piccola ciotola o barattolo, unisci la cenere vegetale con il restante cucchiaino di sale. Indossare usa e gettaguanti, utilizzare un colino Vne-mesh per spolverare leggermente i formaggi con cenere vegetale, ricoprendoli completamente. Picchietta delicatamente la cenere sulla superficie dei formaggi.

9.   Posizionare i formaggi spolverati ad almeno 1 pollice di distanza su un tappetino per formaggio pulito in una scatola di maturazione. Coprite la scatola senza stringere con il coperchio e lasciate riposare a temperatura ambiente per 24 ore. Lascialo scolare e asciugare l'umidità dalla scatola, quindi stagionare il formaggio a una temperatura compresa tra 50 ° F e 55 ° F e il 90% di umidità per 2 settimane.

10. Per i primi giorni, regolare il coperchio in modo che sia leggermente aperto per una porzione di ogni giorno per

mantenere il livello di umidità desiderato. La superficie del formaggio dovrebbe apparire umida ma non bagnata.

11.   Capovolgi i formaggi di un quarto di giro al giorno per mantenere la loro forma di tronco. Dopo circa 5 giorni appariranno i primi segni di muffa bianca sfocata. Dopo 10-14 giorni, i formaggi saranno completamente ricoperti di muffa bianca. Dopo 3 settimane, alcuni dila cenere scura apparirà attraverso la muffa bianca. Lasciato un po 'più a lungo, apparirà più cenere scura. Dopo un totale di 4 settimane dall'inizio della stagionatura, avvolgere in carta da formaggio e conservare in frigorifero. È meglio consumare questo formaggio quando raggiunge la maturità desiderata.

30. Gouda blu

RENDE 1 ½ libbra

- 2 galloni di latte vaccino intero pastorizzato
- 1 cucchiaino di coltura starter mesofila in polvere Meso II
  ⅛ cucchiaino di muffa di Penicillium roqueforti in
  polvere
- 1 cucchiaino di cloruro di calcio diluito in ¼ di tazza di
  acqua fredda non clorata (omettere se si utilizza latte
  crudo)
- 1 cucchiaino di caglio liquido diluito in ¼ di tazza di
  acqua fredda non clorata
- Sale kosher o sale al formaggio

1. In una pentola non reattiva da 10 quarti, riscaldare il
    latte a fuoco basso a 30 ° C; questo dovrebbe richiedere
    dai 15 ai 18 minuti. Spegni il fuoco.

2.   Cospargere lo starter e lo stampo in polvere sul latte e lasciare reidratare per 5 minuti. Mescolare bene usando una frusta con un movimento su e giù. Copri e mantieni la temperatura di 30 ° C, lasciando maturare il latte per 45 minuti. Aggiungere il cloruro di calcio e mescolare delicatamente per 1 minuto, quindi aggiungere il caglio allo stesso modo.

3.   Coprite e lasciate riposare, mantenendo la temperatura di 30 ° C per 30 minuti o finché la cagliata non darà una pausa netta.

4.   Mantenendo ancora gli 86 °F, tagliare la cagliata in pezzi da ½ pollice e lasciare riposare per 5 minuti. Poi mescolate per 5 minuti e lasciate riposare per 5 minuti. Riscalda 2 litri d'acqua a 140 ° F e mantieni quel calore. Quando la cagliata affonda sul fondo della pentola, metti 2 tazze di siero di latte con un mestolo, quindi aggiungi abbastanza acqua a 140 ° F per portare la cagliata a 30 ° C.

5.   Mescolare delicatamente per 10 minuti, quindi lasciare riposare la cagliata. Mestolo o abbastanza siero di latte per esporre la parte superiore della cagliata, quindi aggiungere abbastanza acqua a 140 ° F per portare la cagliata a 30 ° F. Mescola delicatamente per 20 minuti o fino a quando la cagliata non si è ridotta fino a raggiungere le dimensioni di piccoli fagioli. Lasciate riposare la cagliata per 10 minuti; lavoreranno insieme sul fondo della pentola.

6. Riscaldare uno scolapasta con acqua calda, quindi scolare il siero di latte e posizionare la cagliata lavorata nello scolapasta. Lasciate scolare per 5 minuti. Foderare uno stampo per tomme da 5 pollici con una garza umida e posizionarlo su uno scolapiatti sopra un vassoio. Usando le mani, rompi pezzi da 1 pollice di cagliata e distribuiscili nello stampo. Premili leggermente in posizione per riempire gli spazi vuoti.

7. Tirare il panno in modo stretto e liscio, coprire la cagliata con le code di stoffa e il follower e premere a 5 libbre per 30 minuti.

8. Rimuovere il formaggio dallo stampo, scartare, versare e riparare, quindi premere a 10 libbre per 6 ore.

9. Preparare 3 quarti di salamoia satura (vedere la tabella della salamoia) e raffreddare a una temperatura compresa tra 50 ° F e 55 ° F. Rimuovere il formaggio dallo stampo e dal panno e metterlo nella salamoia a bagno a 50 ° F a 55 ° F per 8 ore, ribaltandolo una volta durante la salamoia.

10. Togli il formaggio dalla salamoia e asciugalo tamponando. Posizionare su una griglia e asciugare all'aria a temperatura ambiente per 1 o 2 giorni o fino a quando la superficie è asciutta al tatto.

11. Posizionare su un tappetino in una scatola di maturazione, coprire liberamente e invecchiare a una temperatura compresa tra 50 ° F e 55 ° F e l'85% di

umidità per 1 settimana, Ripping quotidiano. Rimuovere eventuali muffe indesiderate con un pezzetto di garza inumidito in una soluzione di sale e aceto.

12.   Rivestire con cera e conservare a una temperatura compresa tra 50 ° F e 55 ° F e 75% di umidità per almeno 6 settimane e fino a 4 mesi. Il formaggio sarà pronto da mangiare a 6 settimane.

31. Blu latticello

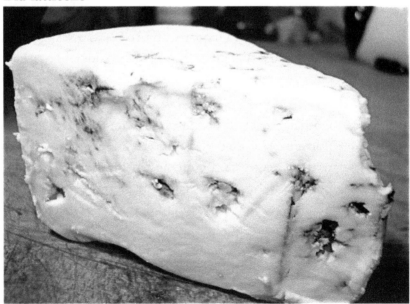

FA 10 once

- 2 litri di latte vaccino intero pastorizzato
- 1 litro di latticello coltivato, fatto in casa (vedi variazione su Crème Fraîche) o acquistato in negozio
- 2 tazze di panna
- 1 cucchiaino MM 100 in polvere di coltura starter mesofila Penicillium roqueforti muffa in polvere
- 1 cucchiaino di cloruro di calcio diluito in ¼ di tazza di acqua fredda non clorata
- 1 cucchiaino di caglio liquido diluito in ¼ di tazza di acqua fredda non clorata

- 1 cucchiaino e mezzo di sale kosher (preferibilmente di marca Diamond Crystal), sale per formaggio o sale marino Lne Pake

1. In una pentola da 6 quarti a fuoco basso, riscaldare il latte, il latticello e la panna a 90 ° F; questo dovrebbe richiedere circa 20 minuti. Spegni il fuoco.

2. Cospargere il latte con lo starter e un pizzico di stampo in polvere e lasciare reidratare per 5 minuti. Mescolare bene usando una frusta con un movimento su e giù. Coprite e mantenete a 90 ° F, lasciando maturare il latte per 30 minuti. Aggiungere il cloruro di calcio e frullare delicatamente, quindi aggiungere il caglio allo stesso modo. Coprite e mantenete a 90 ° F per 1 ora e mezza, o fino a quando la cagliata non dà una rottura netta.

3.   Mantenendo ancora 90 ° F, tagliare la cagliata in pezzi
      da 1 pollice e lasciare riposare per 10 minuti. Quindi
      mescolare delicatamente per 10 minuti per restringere
      leggermente la cagliata e rimuoverla. Lasciar riposare per
      altri 15 minuti o finché la cagliata non affonda sul fondo.
      Mestolo o abbastanza siero di latte per esporre la cagliata.

4.   Foderare uno scolapasta con mussola di burro umida
      e versarvi delicatamente la cagliata. Lasciate scolare per 10
      minuti. Lega gli angoli del panno insieme per formare un
      sacco drenante e appendi per 20 minuti, o fino a quando
      il siero di latte non smette di drenare.

5.   Foderare uno stampo Camembert da 4 pollici con
     mussola di burro umida e posizionarlo su una griglia su
     un vassoio. Versare delicatamente la cagliata nello
     stampo, riempirlo fino a un quarto della sua altezza e
     premere leggermente con la mano per riempire gli spazi
     vuoti.

6.

7.   Misurare ⅛ cucchiaino di P. roqueforti in polvere.
     Cospargere leggermente la cagliata con un terzo della
     polvere di stampo, quindi aggiungere altra cagliata a metà
     dello stampo, premendo di nuovo delicatamente per
     riempire gli spazi e cospargendo un altro terzo della
     polvere di stampo sulla cagliata.

8.   Ripetere fino a Ull lo stampo con altri due strati di
     cagliata e uno di polvere di stampo; la cagliata dovrebbe
     arrivare a circa 1 pollice dalla parte superiore dello
     stampo. Tirare la stoffa stretta e liscia e coprire la cagliata

con le code di stoffa. Lasciate scolare il formaggio per 4 ore a temperatura ambiente, quindi scartatelo, immergetelo, ravvivatelo e lasciatelo scolare per altre 4 ore.

9. Rimuovere con cautela il formaggio dallo stampo, scartare e cospargere un lato con ¾ cucchiaino di sale. Capovolgi il formaggio e mettici sopra lo stampo per formaggio. Il formaggio sarà abbastanza fragile, quindi trattalo delicatamente. Mettilo su una stuoia in una scatola di maturazione e cospargi il restante ¾ cucchiaino di sale sopra.

10. Lasciar scolare per 5 ore, quindi rimuovere lo stampo. Salare a secco i lati del formaggio. Metti il formaggio in una scatola di stagionatura, copri liberamente con il coperchio e lascialo invecchiare a 54 ° F e 75% di umidità per un massimo di 1 settimana, o fino a quando il siero di latte smette di drenare. Capovolgi il formaggio ogni giorno, scolando il siero di latte che potrebbe essersi accumulato nella scatola di stagionatura e usando un tovagliolo di carta per rimuovere l'umidità dal fondo, dai lati e dal coperchio della scatola.

11. Una volta che il siero di latte ha smesso di scolare, usa un ferro da calza sterilizzato o uno spiedo rotondo per forare il formaggio fino all'altro lato, quattro volte in orizzontale e quattro volte in verticale. Questi passaggi d'aria incoraggeranno la crescita della muffa.

12. Fissare il coperchio della scatola di maturazione e maturare a 50 ° F e dall'85 al 90% di umidità. La muffa blu dovrebbe apparire all'esterno dopo 10 giorni. Guarda attentamente il formaggio, bagnandolo quotidianamente e aggiustando il coperchio se l'umidità aumenta e si sviluppa troppa umidità.

13. Nelle 2 settimane successive, forare il formaggio una o due volte negli stessi punti per garantire un'adeguata aerazione e lo sviluppo delle vene blu. Se della muffa eccessiva o indesiderabile appare sulla parte esterna del formaggio, strofinalo con un pezzetto di garza imbevuto di una soluzione di sale e aceto.

14. Maturare per 6 settimane, strofinare lo stampo in eccesso con una garza asciutta, quindi avvolgere il formaggio in un foglio e conservare in frigorifero per un massimo di altri 3 mesi o più a lungo per uno Xavor più pronunciato.

32. Cambozola

FA due formaggi da 10 once

- 2 galloni di latte vaccino intero pastorizzato
- Panna pesante pastorizzata da 2 galloni
- 1 cucchiaino di coltura starter mesofila in polvere Meso II o C101
- ⅛ cucchiaino di polvere di muffa di Penicillium candidum
- 1 cucchiaino di cloruro di calcio diluito in ¼ di tazza di acqua fredda non clorata
- 1 cucchiaino di caglio liquido diluito in ¼ di tazza di acqua fredda non clorata

- ⅛ cucchiaino di polvere di muffa di Penicillium roqueforti
- 4 cucchiaini di sale kosher (preferibilmente di marca Diamond Crystal), sale per formaggio

1. Unire il latte e la panna in una pentola non reattiva da 6 quarti messa a bagnomaria a 96 ° F a fuoco basso e riscaldare delicatamente a 30 ° F; questo dovrebbe richiedere circa 10 minuti. Spegni il fuoco.

2. Cospargere lo starter e la polvere di muffa P. candidum sul latte e lasciare reidratare per 5 minuti. Mescolare bene usando una frusta con un movimento su e giù. Coprire e mantenere la temperatura di 30 ° C, lasciando maturare il latte per 30 minuti. Aggiungere il cloruro di calcio e frullare delicatamente, quindi aggiungere il caglio allo stesso modo. Coprite e lasciate riposare, mantenendo 30 ° C per 1½ore, o fino a quando la cagliata non dà una rottura netta.

3. Tagliare la cagliata a pezzi da ½ pollice e mescolare delicatamente per 5 minuti. Lascia riposare la cagliata per 5 minuti.

4. Foderare uno scolapasta con una garza umida e versarvi delicatamente la cagliata. Lasciate scolare per minuti.

5. Foderare 2 stampini Saint-Maure con una garza umida e adagiarli su uno scolapiatti sopra una teglia. Utilizzando una schiumarola, versare delicatamente la cagliata negli

stampini fino a metà piena. Cospargere la parte superiore di ogni formaggio con metà dello stampo in polvere di P. roqueforti, quindi ricoprire ogni stampo con la cagliata rimanente. Lasciar scolare per 6 ore a temperatura ambiente, scolando e spazzando via il siero di latte che si raccoglie.

6. Rimuovere il siero di latte accumulato alcune volte durante lo scarico, spazzando via il vassoio quando lo fai. Quando i formaggi sono abbastanza da poter essere maneggiati (dopo circa 8 ore), sformateli e scartateli e buttate la garza, quindi anca e rimetteteli negli stampi sfoderati. Unmold e Lip ancora una volta mentre i formaggi si stanno scolando. I formaggi dovrebbero scolare per 8-10 ore in totale.

7.   Una volta che i formaggi hanno smesso di scolarsi, rimuoverli dagli stampi e metterli su un tappetino pulito posto in una scatola di stagionatura pulita e asciutta. Cospargere 2 cucchiaini di sale sulle cime dei formaggi e attendere 5 minuti che il sale si dissolva. Capovolgere i formaggi e cospargere le cime con i restanti 2 cucchiaini di sale.

8. Copri la scatola senza stringere con il suo coperchio. Maturare a 50 ° F a 55 ° F e al 90% di umidità. L'elevata umidità è essenziale per produrre questo formaggio. Capovolgere quotidianamente i formaggi, asciugando il siero di latte che si accumula nella scatola di maturazione. Quando i formaggi sono asciutti in superficie (dopo circa 3 giorni), coprire bene la scatola per continuare la stagionatura.

9. Continua a mescolare i formaggi ogni giorno e rimuovi l'umidità nella scatola. Dopo circa 5 giorni appariranno i primi segni di muffa bianca sfocata. Quando i formaggi sono completamente ricoperti di muffa bianca (dopo circa 8 giorni), aerare il centro di ciascun formaggio perforando orizzontalmente dai lati attraverso il centro verso l'altro lato utilizzando un ferro da calza sterilizzato o uno spiedo.

10. Dovrebbero esserci da 8 a 10 piercing in ogni formaggio per consentire il corretto sviluppo delle vene blu. Forare di nuovo negli stessi punti se eventuali buchi si chiudono nei successivi 10-12 giorni.

11. Avvolgere in carta da formaggio 10-12 giorni dopo la foratura e riporlo nella scatola di stagionatura. Il formaggio inizierà ad ammorbidirsi entro 1 settimana circa. Dopo un totale di 4 settimane dall'inizio della stagionatura, il formaggio dovrebbe essere pronto da mangiare, oppure continuare a maturare fino a 6 settimane in frigorifero.

33. Blu costiero

FA due formaggi da 1 libbra

- 2 galloni di latte vaccino intero pastorizzato
- 1 cucchiaino di coltura starter mesofila in polvere MM 100
- ⅛ cucchiaino di polvere di muffa di Penicillium roqueforti
- ¼ di cucchiaino di cloruro di calcio diluito in ¼ di tazza di acqua fredda non clorata
- ¼ di cucchiaino di caglio liquido diluito in ¼ di tazza di acqua fredda non clorata

- 2 cucchiai di sale kosher grosso (preferibilmente di marca Diamond Crystal)

1. In una pentola non reattiva da 10 quarti messa a bagnomaria a 96 ° F a fuoco basso, riscaldare delicatamente il latte a 30 ° F; questo dovrebbe richiedere circa 10 minuti. Spegni il fuoco.

2. Cospargere il latte con la farina d'avena e lo stampo in polvere e lasciar riposare per 5 minuti. Mescolare bene usando una frusta con un movimento su e giù. Coprite e mantenete la temperatura di 30 ° C, lasciando maturare il latte per 1 ora, mescolando di tanto in tanto. Aggiungere il cloruro di calcio e frullare delicatamente, quindi aggiungere il caglio allo stesso modo. Coprite e lasciate riposare, mantenendo 30 ° C per 1 a 1½ore, o fino a quando la cagliata non dà una rottura netta.

3. Tagliare la cagliata a pezzi da ½ pollice e mescolare delicatamente per 10 minuti, quindi lasciare che la cagliata si depositi sul fondo della pentola. Mestola 2 litri di siero di latte e mescola la cagliata per altri 5 minuti.

4. Foderare uno scolapasta o un colino con mussola di burro umida e versarvi delicatamente la cagliata. Lasciate scolare per 5 minuti. Foderare due stampini Camembert da 4 pollici con una garza umida e disporli su una griglia scolata sopra un vassoio.

5. Versare la cagliata negli stampini, tirare la tela intorno alla cagliata e coprire la parte superiore con le code della tela e

lasciare scolare per 12 ore a temperatura ambiente.
Capovolgere i formaggi almeno quattro volte per
garantire una forma e un aspetto uniformi.

6.   Togliete i formaggi dagli stampini e cospargete 1
cucchiaio di sale su tutta la superficie di ciascuno,
ricoprendoli uniformemente. Picchietta delicatamente il
sale sulla superficie. Metti i formaggi su una stuoia in una
scatola di maturazione e lasciali invecchiare a una
temperatura compresa tra 20 e 22 ° F e un'umidità del
90%. Apri leggermente il coperchio in modo che ci sia un
po 'di movimento d'aria. Capovolgi i formaggi ogni
giorno, asciugando l'umidità in eccesso dalla scatola con
un tovagliolo di carta.

7.   Dopo 2 giorni, utilizzare un ferro da calza sterilizzato
o uno spiedino rotondo per forare ogni formaggio fino
all'altro lato, 4 volte in orizzontale e 4 volte in verticale.
Questi passaggi d'aria incoraggeranno la crescita della
muffa.

8.   Riporre i formaggi nella scatola e maturare a una
temperatura compresa tra 10 e 56 ° F e l'85% di umidità
per 3-4 settimane. Dopo 10 giorni, dovrebbe iniziare a
comparire la muffa blu. Capovolgi i formaggi ogni giorno,
asciugando l'umidità in eccesso dalla scatola con un
tovagliolo di carta. Strofinare qualsiasi muffa indesiderata
con un pezzo di garza imbevuta di una soluzione di sale e
aceto e strizzata ad asciugare.

9. Dopo aver ottenuto una crescita sufficiente della muffa blu, avvolgerli strettamente in un foglio e conservare in frigorifero per un massimo di 4-6 mesi.

34. Gorgonzola

RENDE 1 ½ libbra

- 6 litri di latte vaccino intero pastorizzato
- 1 cucchiaino di coltura starter mesofila in polvere MM 100
- 1 cucchiaino di cloruro di calcio diluito in ¼ di tazza di acqua fredda non clorata
- ½ cucchiaino di caglio liquido diluito in ¼ di tazza di acqua fredda non clorata
- ⅛ cucchiaino di polvere di muffa di Penicillium roqueforti
- Sale kosher

1. In una pentola da 4 quarti non reattiva posta a bagnomaria a 100 ° F, riscaldare delicatamente 3 litri di latte a 90 ° F; questo dovrebbe richiedere circa 15 minuti. Spegni il fuoco.

2.   Cospargere metà dello starter sul latte e lasciarlo reidratare per 5 minuti. Mescolare bene usando una frusta in unamovimento su e giù. Coprite e mantenete a 90 ° F, lasciando maturare il latte per 30 minuti. Aggiungere metà del cloruro di calcio e frullare delicatamente, quindi aggiungere metà del caglio allo stesso modo. Coprite e lasciate riposare, mantenendo 90 ° F per 30 minuti, o fino a quando la cagliata non darà una pausa pulita.

3.   Tagliare la cagliata a pezzi da ¾ di pollice e lasciarla riposare per 10 minuti, quindi mescolare delicatamente per 20 minuti per aumentare leggermente la cagliata. Lascia riposare per altri 15 minuti, o finché la cagliata non affonda sul fondo.

4.   Mestola abbastanza siero di latte per esporre la cagliata. Foderare uno scolapasta con una garza umida e versarvi delicatamente la cagliata. Lasciate scolare per 5 minuti. Lega gli angoli della garza insieme per formare un sacco drenante e appendi a 55 ° F per lasciare scolare per 8 ore o durante la notte.

5.   La mattina successiva, fare una seconda partita di cagliata allo stesso modo, utilizzando l'altra metà del latte, il lievito madre, il cloruro di calcio e il caglio. Lasciar scolare la cagliata a 55 ° C per 6 ore. Prima che il secondo lotto sia finito di scolare, portare il lotto Krst a temperatura ambiente.

6. Sciogliere i sacchi e, conservando i lotti separare, rompere la cagliata in pezzi da 1 pollice. Foderare uno stampo Camembert da 4 pollici con una garza umida e posizionarlo su uno scolapiatti.

7. Con le mani, fodera il fondo e le pareti dello stampo con uno strato sottile della seconda partita di cagliata. Premere leggermente verso il basso per riempire gli spazi vuoti. Metti metà della cagliata del primo lotto nello stampo e premi delicatamente per riempire gli spazi vuoti.

8. Cospargere la parte superiore con un terzo dello stampo in polvere P. roqueforti, quindi ripetere il processo altre due volte fino a riempire lo stampo con quattro strati di cagliata, alternando cagliata di primo e secondo lotto e Finitura con cagliata di secondo lotto. Lo stampo dovrebbe essere riempito a circa 1 pollice dalla parte superiore.

9. Tirare la garza intorno alla cagliata e coprire la parte superiore con le code della stoffa e il seguace. Premere a 5 libbre per 2 ore, quindi sformare, scartare, ip e riparare.

10. Premere a 8 libbre per 2 ore. Premere a 8 libbre per altre 6 ore, scartare, asciugare e riparare ogni 2 ore.

11. Rimuovere con cautela il formaggio dallo stampo, scartare e cospargere un lato con ¾ cucchiaino di sale. Capovolgi il formaggio e mettici sopra lo stampo per formaggio. Il formaggio sarà abbastanza fragile, quindi trattalo delicatamente. Mettilo su una stuoia in una scatola di maturazione e cospargi ¾ cucchiaino di sale sopra.

Lasciar scolare per 5 ore,quindi ip di nuovo il formaggio.
Ripeti questo processo una volta al giorno per altri 3
giorni, cospargendo un pizzico di sale su ciascun lato la
prima volta che lo metti ogni giorno, quindi scolando per
5 ore e sorseggiando di nuovo. Ogni volta che strappi il
formaggio, scola il siero di latte accumulato e asciuga la
scatola con un tovagliolo di carta.

12.   Dopo i 4 giorni di salatura, immersione e
sgocciolamento, togliere lo stampo e coprire la scatola di
stagionatura senza stringere con il coperchio. Invecchiare
a 50 ° F e 75% di umidità per un massimo di 2settimane o
fino a quando il siero di latte smette di drenare. Capovolgi
il formaggio ogni giorno, rimuovendo il siero di latte che
si accumula nella scatola di stagionatura e asciugando
l'umidità dai lati della scatola.

13.   Una volta che il siero di latte ha smesso di scolare, usa
un ferro da calza sterilizzato o uno spiedo rotondo per
forare il formaggio fino all'altro lato, 4 volte in orizzontale
e 4 volte in verticale. Questi passaggi d'aria
incoraggeranno la crescita della muffa.

14.   Fissare il coperchio della scatola di maturazione e
maturare a 50 ° F e dall'85 al 90% di umidità. La muffa
blu dovrebbe apparire all'esterno dopo 10 giorni.
Guardare attentamente il formaggio, girandolo
quotidianamente e regolando il coperchio se l'umidità
aumenta e si sviluppa troppa umidità. Rimuovere
eventuali muffe indesiderate con un pezzo di garza
imbevuta di una soluzione di sale e aceto.

15. Nelle 2 settimane successive alla perforazione iniziale, forare il formaggio ancora una o due volte negli stessi punti per garantire un'adeguata aerazione e lo sviluppo della vena blu.

16. Maturazione per 2 mesi, quindi avvolgere il formaggio in un foglio e conservare in frigorifero per altri 1 o 3 mesi.

35. Roquefort

FA 1 libbra

- 2 litri di latte vaccino intero pastorizzato
- 2 quarti di panna

- 1 cucchiaino di coltura starter mesofila in polvere MA 4001
- 1 cucchiaino di lipasi delicata in polvere diluita in ¼ di tazza di acqua fredda non clorata 20 minuti prima dell'uso (opzionale)
- 1 cucchiaino di cloruro di calcio diluito in ¼ di tazza di acqua fredda non clorata (omettere se si utilizza latte crudo)
- 1 cucchiaino di caglio liquido diluito in ¼ di tazza di acqua fredda non clorata
- ⅛ cucchiaino di polvere di muffa di Penicillium roqueforti
- 1 cucchiaino e mezzo di sale kosher (preferibilmente di marca Diamond Crystal) o sale marino Une Eake

1. In una pentola non reattiva da 6 quarti posta a bagnomaria a 100 ° F, unire il latte e la panna e riscaldare delicatamente a 90 ° F; questo dovrebbe richiedere circa 15 minuti. Spegni il fuoco.

2. Cospargere lo starter sul latte e lasciare reidratare per 5 minuti. Mescolare bene usando una frusta con un movimento su e giù. Coprite e mantenete a 90 ° F, lasciando maturare il latte per pochi minuti. Aggiungere la lipasi, se utilizzata, e frullare delicatamente, quindi incorporare delicatamente il cloruro di calcio e poi il caglio. Copri e lascia riposare, mantenendo 90 ° F per 2ore o fino a quando la cagliata non dà una rottura netta.

3. Tagliare la cagliata a pezzi da 1 pollice e lasciarla riposare per 15 minuti, quindi mescolare delicatamente per

ammorbidire leggermente la cagliata. Lascia riposare per altri 15 minuti, o finché la cagliata non affonda sul fondo.

4.   Mestola abbastanza siero di latte per esporre la cagliata. Foderare uno scolapasta con una garza umida e versarvi delicatamente la cagliata. Lasciate scolare per 10 minuti. Lega gli angoli della garza insieme per formare un sacco drenante e appendi a temperatura ambiente per lasciare scolare per 30 minuti, o fino a quando il siero di latte smette di gocciolare.

5. Metti uno stampo Camembert da 4 pollici su uno scolapiatti e foderalo con una garza umida. Con le mani, sovrapponi un quarto della cagliata nello stampo. Premere delicatamente verso il basso per riempire gli spazi vuoti.

6. Cospargere la parte superiore della cagliata con un terzo dello stampo in polvere di P. roqueforti, quindi ripetere il processo fino a riempire lo stampo, guarnendo con uno strato di cagliata. Lo stampo dovrebbe essere riempito a circa 1 pollice dalla parte superiore.

7.   Lasciate scolare a temperatura ambiente per 8 ore. Una volta che la cagliata si è sufficientemente irrorata da sopportare, dopo circa 4 ore di sgocciolamento, ribaltare il formaggio una o due volte, tenendolo nella sua garza. Dopo 8 ore, rimuovere il formaggio dallo stampo, scartare, ribaltare e rivestire, quindi lasciare scolare per 16 ore a temperatura ambiente.

8.   Dopo 24 ore di sgocciolamento, togliete con cura il formaggio dallo stampo, cospargete un lato con ¾ cucchiaino di sale, quindi poggiatelo sopra e adagiatelo su una stuoia in una scatola di stagionatura.

9.   Cospargere il restante ¾ cucchiaino di sale sopra. Il formaggio a questo punto sarà abbastanza fragile, quindi maneggiatelo delicatamente.

10.   Copri la scatola senza stringere e lascia stagionare il formaggio a una temperatura compresa tra 10 e 55 ° F e un'umidità compresa tra l'85 e il 90%. Capovolgere il formaggio ogni giorno per 1 settimana, drenando l'eventuale liquido accumulato nella scatola di stagionatura e utilizzando un tovagliolo di carta per rimuovere l'umidità dalla scatola.

11.   Dopo 1 settimana, utilizzare un ferro da calza sterilizzato o uno spiedo rotondo per forare il formaggio fino all'altro lato 4 volte in orizzontale e 4 volte in verticale.

12. Questi passaggi incoraggeranno la crescita della muffa. Continua a maturare a una temperatura compresa tra 50 ° F e 55 ° F e tra l'85 e il 90% di umidità. La muffa blu dovrebbe apparire all'esterno dopo 10 giorni.

13.   Una volta che il formaggio ha smesso di scolare il siero di latte, chiudi il coperchio della scatola per controllare l'umidità. Capovolgere il formaggio ogni

giorno e regolare il coperchio se l'umidità aumenta e l'umidità è eccessivasi sviluppa.

14. Nelle 2 settimane successive al piercing iniziale, perforare una o due volte nelle stesse posizioni per garantire un'adeguata aerazione e lo sviluppo della vena blu. Rimuovere la muffa in eccesso o indesiderata con un pezzo di garza imbevuta di una soluzione di sale e aceto.

15. Fai maturare il formaggio per 6-8 settimane. Quando avrà raggiunto la consistenza cremosa desiderata, avvolgerlo in un foglio e conservarlo, in frigorifero, per un massimo di altri 4 mesi.

36. Stilton

FA 1 libbra

- 1 gallone di latte vaccino intero pastorizzato
- 1 tazza di panna
- Penicillium roqueforti muffa in polvere
- 1 cucchiaino di coltura starter mesofila in polvere C101 o Meso II
- 1 cucchiaino di cloruro di calcio diluito in ¼ di tazza di acqua fredda non clorata
- 1 cucchiaino di caglio liquido diluito in ¼ di tazza di acqua fredda non clorata

- 4 cucchiaini di sale kosher

1. In una pentola non reattiva da 6 quarti, riscaldare il latte e la panna a fuoco basso a 30 ° C; questo dovrebbe richiedere circa 15 minuti. Spegni il fuoco.

2. Cospargere ⅛ di cucchiaino di polvere di stampo e lo starter sul latte e lasciare reidratare per 5 minuti. Mescolare bene usando una frusta con un movimento su e giù. Coprire e mantenere la temperatura di 30 ° C, lasciando maturare il latte per 30 minuti. Aggiungere il cloruro di calcio e frullare delicatamente, quindi aggiungere il caglio allo stesso modo. Coprite e lasciate riposare, mantenendo 30 ° C per 1½ore, o fino a quando la cagliata non dà una rottura netta.

3. Usando una schiumarola, affetta la cagliata in lastre spesse ½ pollice. Foderare uno scolapasta con una garza umida e posizionarlo su una ciotola delle stesse dimensioni dello scolapasta.

4. Trasferire le fette di cagliata nello scolapasta; la cagliata dovrebbe stare nel siero di latte catturato nella ciotola. Copri lo scolapasta; mantenere 86 ° F per 1 ora e mezza. Quindi lega gli angoli della garza insieme per formare un sacco scolante e appendi per lasciare scolare a temperatura ambiente per 30 minuti, o fino a quando il siero di latte smette di gocciolare.

5. Adagiare il sacco su un tagliere, aprire la garza e premere delicatamente sulla cagliata, formandola a forma di mattone. Ripassare la cagliata nella stessa garza e disporla su una griglia scolata. Pressali a 8 libbre per 8 ore o durante la notte a temperatura ambiente.

6.   Rimuovere la cagliata dalla garza e romperla in pezzi di circa 1 pollice. Metti la cagliata in una ciotola, aggiungi il sale e mescola delicatamente per unire.

7.   Foderare uno stampo per formaggio rotondo del diametro di 4½ pollici con una garza umida e posizionarlo su una griglia. Metti metà della cagliata nello stampo. Cospargere la parte superiore con un pizzico di polvere di stampo P. roqueforti,quindi stratificare la cagliata rimanente nello stampo.

8.   Ripiegare le code del telo sulla cagliata, sistemare il follower e lasciar sgocciolare a temperatura ambiente per 4 giorni. Capovolgi ogni 20 minuti per le prime 2 ore, ogni 2 ore per le 6 ore successive e una volta al giorno per i 4 giorni successivi. Rimuovere l'eventuale siero di latte accumulato ogni volta che metti il formaggio.

9.   Dopo i 4 giorni di sgocciolamento, togliere il formaggio dallo stampo e dal panno e adagiarlo su un tappetino pulito in una scatola di stagionatura asciutta. Copri la scatola senza stringere con il coperchio e fai maturare il formaggio a una temperatura compresa tra 50 ° F e 55 ° F e tra l'85 e il 90% di umidità. L'elevata umidità è essenziale per produrre questo formaggio.

10.   Capovolgi il formaggio ogni giorno per 1 settimana, rimuovendo il siero di latte che si accumula nella scatola di stagionatura e asciugando l'umidità dalla scatola. Pulisci la buccia ogni giorno con una garza imbevuta

11. in una semplice soluzione di salamoia (vedere la tabella della salamoia) per la prima settimana. Quando il formaggio è asciutto in superficie, fissare saldamente il coperchio della scatola di stagionatura e continuare a maturare a una temperatura compresa tra 50 ° F e 55 ° F e 90% di umidità, Qipping una o due volte a settimana.

12. Dopo 2 settimane, il formaggio dovrebbe aver sviluppato un esterno leggermente ammuffito. A 4 mesi, avvolgere il formaggio in un foglio e conservare in frigorifero per un massimo di altri 2 mesi.

FORMAGGIO VEGANO

37. Cheddar di anacardi

- 1 tazza di anacardi crudi
- 1 tazza di acqua filtrata
- 1 cucchiaino di sale dell'Himalaya
- ¼ di tazza di amido di tapioca modificato
- Beta-carotene spremuto da 2 capsule di gel
- **1/4** tazza di olio di cocco raffinato, più altro per ungere la padella
- 1 cucchiaino e mezzo di polvere di agar-agar
- Mettere gli anacardi in acqua filtrata in una piccola ciotola. Copri e metti in frigorifero per una notte.

a) Scolare gli anacardi. Nella caraffa di un Vitamix, metti gli anacardi, l'acqua, l'amido di tapioca modificato, il beta-carotene, l'olio di cocco e la polvere di agar-agar.

b) Frullare ad alta velocità fino a ottenere un composto omogeneo.

c) Ungere una padella rotonda a cerniera da 4,5 x 1 pollice con olio di cocco.

d) Trasferire il composto di anacardi in una casseruola e scaldare a fuoco medio-basso, mescolando continuamente, finché non diventa denso e di consistenza simile al formaggio. (Puoi usare un termometro e riscaldare la miscela a circa 145 gradi F. VediQui per suggerimenti su questa tecnica.)

e) A questo punto, puoi spalmare questo formaggio caldo e denso su pane tostato per un delizioso panino. oppure puoi piegare il formaggio nello stampo preparato e metterlo da parte a raffreddare.

f) Metti il formaggio in frigorifero per una notte per prepararlo.

g) Fai scorrere un coltello attorno al bordo interno dello stampo. Rilasciare la fibbia sulla teglia a molla e, usando il bordo piatto di un grosso coltello, liberare il formaggio dal tondo di metallo inferiore.

h) Trasferisci su un tagliere. Con un coltello affilato, affettare il formaggio e servire

38. Gouda affumicato

- 1/4 tazza di anacardi crudi
- 1/4 tazza di mandorle crude
- 1/4 di tazza di olio di cocco raffinato, più una quantità per ungere
- 1 tazza di acqua filtrata
- 1/4 tazza di amido di tapioca modificato
- 1 goccia di beta-carotene, spremuta dal cappuccio in gel
- 1 cucchiaino di sale dell'Himalaya
- 2 cucchiai e mezzo di fiocchi di agar-agar
- 1 cucchiaino di fumo liquido
a) Mettere gli anacardi in acqua filtrata in una piccola ciotola. Copri e metti in frigorifero per una notte. Mettere le

mandorle in acqua filtrata in una piccola ciotola. Copri e
metti in frigorifero per una notte.

b) Ungere leggermente una padella a cerniera da 4 pollici
con olio di cocco.

c) Scolare gli anacardi.

d) Porta a ebollizione 4 tazze d'acqua in una casseruola
media a fuoco medio-alto. Aggiungere le mandorle e
sbollentarle per 1 minuto. Scolare le mandorle in uno
scolapasta e rimuovere la buccia con le dita (potete
compostare le bucce).

e) Nella caraffa di un Vitamix, metti gli anacardi, le
mandorle, l'acqua, l'amido di tapioca modificato, il beta-
carotene, l'olio di cocco, il sale e l'agar-agar.

f) Frullare ad alta velocità per 1 minuto o fino a che liscio.

g) Trasferire il composto in una casseruola e scaldare a
fuoco medio-basso, mescolando continuamente, finché
non diventa denso e di consistenza simile al formaggio.
(Puoi usare un termometro e riscaldare la miscela a circa
145 gradi F. VediQui per suggerimenti su questa tecnica.)

h) Aggiungere il fumo liquido e mescolare con una spatola di
gomma per incorporare bene.

i) Versare il formaggio nella teglia primaverile preparata.
Spianare il formaggio con il dorso di un cucchiaio
ricoperto di olio di cocco. Lasciate raffreddare il
composto, poi copritelo con carta forno tagliata a tondo
delle dimensioni dello stampo per formaggio. Trasferisci il
formaggio in frigorifero per una notte per prepararlo.

j) Fai scorrere un coltello affilato attorno al bordo interno
della padella. Rilascia la fibbia e rimuovi l'anello dello
stampo. Utilizzando il bordo piatto di un grosso coltello,
separare il formaggio dal tondo di metallo inferiore e
trasferirlo su un tagliere. Con un coltello molto affilato,
affettare il formaggio e servire

39. Mozzarella in salamoia

- 1 tazza di anacardi crudi
- 1 tazza di mandorle crude

SALAMOIA

- 12 tazze di acqua filtrata
- 2 cucchiai a ¼ di tazza di sale rosa dell'Himalaya
- 1 tazza di acqua filtrata
- 1/4 tazza di amido di tapioca modificato
- 1/4 tazza di olio di cocco raffinato
- 1 cucchiaino di sale dell'Himalaya
- 2 ½ cucchiai di agar-agar in scaglie o 1 ½ cucchiaino di agar-agar in polvere

1. Mettere gli anacardi in acqua filtrata in una piccola ciotola. Copri e metti in frigorifero per una notte.

2. Risciacquare bene le mandorle. Mettili in acqua in una piccola ciotola. Copri e metti in frigorifero per una notte.

3. Preparare una soluzione di salamoia portando l'acqua a ebollizione in una grande casseruola a fuoco vivace e aggiungendo il sale fino a quando non si scioglie.

4. Trasferisci la salamoia in una ciotola di ceramica e mettila nel congelatore.

5. Porta a ebollizione 4 tazze d'acqua in una casseruola media a fuoco medio-alto. Aggiungere le mandorle e sbollentarle per 1 minuto. Scolare le mandorle in uno scolapasta e rimuovere la buccia con le dita (potete compostare le bucce).

6. Scolare gli anacardi. Nella ciotola di un Vitamix, mettere gli anacardi, le mandorle, l'acqua, l'amido di tapioca modificato, l'olio di cocco, il sale e l'agar-agar.

7. Frullare ad alta velocità per 1 minuto o fino a che liscio.

8. Trasferire il composto in una casseruola e, mescolando continuamente, scaldare a fuoco medio-basso finché non diventa denso e di consistenza simile al formaggio. (Puoi usare un termometro e riscaldare la miscela a circa 145 gradi F. VediQui per suggerimenti su questa tecnica.)

9. Raccogli il formaggio caldo dalla casseruola con una paletta per gelato e lascialo cadere nella salamoia.

10. Aggiungere 1 tazza di ghiaccio al formaggio in salamoia. Coprite e trasferite in frigo e mettete in frigorifero per una notte.

40. Mozzarella di anacardi e mandorle

- 1 tazza di anacardi crudi
- 1 tazza di mandorle
- 1 cucchiaino di aceto di mele
- 1 cucchiaino di sale marino celtico
- Una lattina da 15 once di latte di cocco
- 1/4 tazza di olio di cocco raffinato
- 1 tazza di acqua filtrata
- ½ tazza di scaglie di agar-agar
1. Mettere gli anacardi in acqua filtrata in una piccola ciotola. Copri e metti in frigorifero per una notte.

2. Risciacquare bene le mandorle. Mettili in acqua in una piccola ciotola. Copri e metti in frigorifero per una notte.
3. Foderare due stampi antiaderenti rettangolari da 6 pollici con pellicola trasparente, lasciando sufficiente pellicola in eccesso sui lati per avvolgere la miscela una volta raffreddata.

4. Porta a ebollizione 4 tazze d'acqua in una casseruola media a fuoco medio-alto. Aggiungere le mandorle e sbollentarle per 1 minuto. Scolare le mandorle in uno scolapasta e rimuovere la buccia con le dita (potete compostare le bucce). Scolare gli anacardi. Nella ciotola di un robot da cucina, posizionare le mandorle e gli anacardi e frullare fino a ottenere una consistenza farinosa. Aggiungere l'aceto e il sale. Pulisci ancora un paio di volte per combinare.

5. In una piccola casseruola a fuoco medio, unisci il latte di cocco, l'olio di cocco e l'acqua. Quando la miscela è completamente riscaldata, aggiungere i fiocchi di agar-agar e mescolare costantemente fino a quando l'agar-agar si è sciolto.

6. Con il motore acceso, versare il composto nel tubo del robot da cucina e frullare fino a ottenere un composto cremoso. Arrestare il motore, rimuovere il coperchio e raschiare i lati. Procedi di nuovo per assicurarti che la miscela venga incorporata bene. Questo può essere fatto anche in Vitamix per una consistenza più liscia.

7. Versate il composto negli stampini preparati e lasciate raffreddare sul bancone. Dopo che il formaggio si è raffreddato, coprirlo con la pellicola in eccesso e conservare in frigorifero per 24 ore o fino a quando non si è rassodato.

8. Sformate il formaggio dagli stampini e affettatelo, utilizzatelo come guarnizione per la pizza o all'interno di un panino al pomodoro e basilico!

41. Provolone Vegano

- 1 tazza di anacardi crudi
- 1 tazza di acqua filtrata
- 1/4 di tazza di olio di cocco raffinato, più una quantità per ungere la padella
- 1/4 tazza di amido di tapioca modificato
- 2 gocce di beta-carotene, spremute dal cappuccio in gel
- 1 cucchiaino di olio al tartufo bianco
- 1 cucchiaino di sale dell'Himalaya
- 1 ½ cucchiaino di agar-agar in polvere o 2 ½ cucchiai di agar-agar in scaglie

1. Mettere gli anacardi in acqua filtrata in una piccola ciotola. Copri e metti in frigorifero per una notte.

2. Ungere leggermente una padella a cerniera da 4,5 x 1,5 pollici con olio di cocco.
3. Scolare gli anacardi. Nella brocca di un Vitamix, mettere gli anacardi, l'acqua, l'amido di tapioca modificato, il beta-carotene, l'olio di cocco, l'olio al tartufo, il sale e l'agar-agar. Frullare ad alta velocità per 1 minuto o fino a che liscio.
4. Trasferisci il composto in una piccola casseruola a fuoco medio-basso e mescola continuamente finché non diventa denso e di consistenza simile al formaggio. (Puoi usare un termometro e riscaldare la miscela a circa 145 gradi F. VediQui per suggerimenti su questa tecnica.)

5. Versare il formaggio nella teglia a cerniera preparata. Lascialo raffreddare. Coprite con una pergamena tagliata tonda delle dimensioni dello stampo, quindi trasferite in frigo per una notte per prepararle
6. Svoltare il formaggio dallo stampo e disporlo su un piatto da portata. Usando un coltello molto affilato, affettatelo e mangiatelo con Kale Chip

42. Formaggio di capra alle erbe aromatiche alle noci di macadamia

- 2 tazze di noci di macadamia crude
- 1 capsula acidophilus (3 miliardi di ceppi di coltura attiva)
- 1 cucchiaino più ⅛ cucchiaino di sale marino celtico
- 1/4 tazza di latte di cocco
- 2 cucchiaini di olio di cocco raffinato
- 1 cucchiaino di sale dell'Himalaya
- 2 cucchiai di spezie greche o za'atar (una miscela di timo, origano e maggiorana)

1. Nella caraffa di un Vitamix, posizionare le noci di macadamia, l'acidophilus, ½ cucchiaino di sale marino celtico, il latte di cocco, l'olio di cocco e il sale dell'Himalaya. Frullare a velocità media, utilizzando lo stantuffo per distribuire uniformemente il composto.

2. Trasferisci la miscela al centro di un pezzo di garza da 20 cm. Raccogli i bordi e lega il fascio con lo spago. Posizionare il fascio di formaggio nel disidratatore e disidratare a 90 gradi F per 24 ore.

3. Terminata la stagionatura, aprire il fagottino di formaggio e, usando una paletta per gelato, togliere tutto il formaggio dalla tela e posizionarlo (compresa la cotenna e il centro) nella ciotola di un robot da cucina. Montare fino a renderlo leggero e spumoso.

4. Regola i condimenti a piacere. Se il gusto è troppo delicato, aggiungi il restante ⅛ cucchiaino di sale marino celtico.

5. Versare il formaggio su un piano di lavoro e dividerlo a metà. Metti una metà in un pezzo di carta oleata da 8 pollici. Arrotolare il formaggio all'interno della carta oleata, muovendosi avanti e indietro per creare un tronco. Ripeti con la seconda metà.

6. Dopo che la forma è impostata, uniformare le estremità e arrotolare delicatamente e premere le erbe. Avvolgi delicatamente i tronchi in una garza. Trasferire in frigorifero per 2 ore. Servire.

43. Formaggio di capra Ahimsa

- 2 tazze di mandorle
- 3 cucchiaini e mezzo di aceto di mele, più altro se necessario
- 1 cucchiaino di sale marino celtico, più altro se necessario
- ½ tazza di latte di cocco
- 1 cucchiaino di olio di cocco raffinato
1. Mettere a bagno le mandorle per almeno 8 ore in acqua filtrata. Per farli germogliare, sciacquare le mandorle con acqua due volte al giorno per le successive 48 ore. Puoi conservarli, coperti con un pezzo di garza, in un luogo fresco e asciutto. Ma assicurati di drenare completamente l'acqua ogni volta che li risciacqui. Oppure, se lo desideri, puoi saltare la fase di germinazione e usare semplicemente le mandorle ammollate. Il tuo formaggio sarà comunque delizioso.
2. Porta a ebollizione 4 tazze d'acqua in una casseruola media a fuoco medio-alto. Aggiungere le mandorle

germogliate e sbollentarle velocemente, per 1 minuto.
Scolare le mandorle in uno scolapasta e rimuovere la
buccia con le dita (potete compostare le bucce).

3. Nella caraffa di un Vitamix, metti le mandorle, l'aceto, il
    sale, il latte di cocco e l'olio di cocco. Frullare a velocità
    media, utilizzando lo stantuffo per distribuire
    uniformemente il composto.

4. Trasferisci la miscela al centro di un pezzo di garza da 20
    cm. Raccogli i bordi e legali in un fascio con lo spago.
    Posizionare il fascio di garza nel disidratatore e disidratare
    a 90 gradi F per 19-24 ore.

5. Al termine della stagionatura, aprire il fagotto di garza e,
    utilizzando una paletta per gelato, versare il formaggio
    nella ciotola di un robot da cucina. Montare fino a
    renderlo leggero e spumoso.

6. Regola i condimenti a piacere. Se il sapore è troppo
    delicato, aggiungi un altro ⅛ cucchiaino di aceto e ⅛
    cucchiaino di sale.

7. Versare il formaggio su carta oleata. Dividete il formaggio
    in due parti uguali. Arrotolare il formaggio all'interno
    della carta oleata, muovendosi avanti e indietro per creare
    due singoli tronchi.

8. Divertiti con il mio Insalata Di Formaggio Di Capra Di
    Barbabietola o con i tuoi cracker senza glutine preferiti.

44. Gorgonzola erborinato

- 4 tazze di anacardi crudi
- Olio di cocco, per ungere gli stampini
- 1 capsula acidophilus (3 miliardi di ceppi di coltura attiva)
- ¾ tazza di latte di cocco
- 1 cucchiaino di sale dell'Himalaya
- ¼ a ½ cucchiaino di spirulina o spirulina liquida congelata
1. Mettere gli anacardi in acqua filtrata in una piccola ciotola. Copri e metti in frigorifero per una notte.

2. Ungere leggermente due stampi per formaggio da 4 pollici o uno stampo per formaggio da 6 pollici con olio di cocco.

3. Scolare gli anacardi. Nella ciotola di un Vitamix, metti gli anacardi, l'acidophilus, il latte di cocco e il sale. Frullare a velocità media, utilizzando lo stantuffo per distribuire uniformemente il composto fino a che liscio.
4. Trasferire il composto in una piccola ciotola e cospargere con la spirulina in polvere o rompere piccoli pezzi di spirulina congelata viva e lasciarli cadere a caso sulla miscela di formaggio. Usando una piccola spatola di gomma, marmorizza la spirulina attraverso la miscela per creare vene blu-verdi.

5. Trasferire il composto negli stampini per formaggio preparati e metterli nell'essiccatore ricoperti di rotoli di carta forno tagliati per adattarsi alle parti superiori degli stampi.
6. Disidratare a 90 gradi F per 24 ore.
7. Trasferisci gli stampini in frigorifero per una notte.
8. Togli il formaggio dagli stampini e gustalo, oppure mettilo in un umidificatore o in una cantinetta per 1 o 3 settimane. Strofinare l'esterno con sale marino fine ogni pochi giorni per evitare la comparsa di muffa nera. Il gusto del formaggio continuerà a svilupparsi con l'invecchiamento.

45. Cheddar Chipotle

- 1 tazza e mezzo di anacardi crudi
- 1/4 tazza di muschio irlandese
- ½ tazza di acqua filtrata
- 1 cucchiaino di olio di cocco raffinato
- ½ cucchiaino di peperoncino chipotle da un barattolo, più 1 cucchiaio di olio dal barattolo
- ½ cucchiaino di sale marino celtico, più altro a piacere
- 2 cucchiai di lievito alimentare
1. Mettere gli anacardi in acqua filtrata in una piccola ciotola. Copri e metti in frigorifero per una notte.
2. Risciacquare molto bene il muschio irlandese in uno scolapasta finché tutta la sabbia non viene rimossa e l'odore dell'oceano è sparito. Quindi metterlo in acqua in una piccola ciotola. Copri e metti in frigorifero per una notte.

3. Scolare il muschio irlandese e metterlo nella ciotola di un Vitamix con l'acqua. Frullare ad alta velocità per 1 minuto o fino a quando non sarà emulsionato. Misura 2 cucchiai e riserva il resto.

4. Scolare gli anacardi. In una brocca pulita di un Vitamix, mettere gli anacardi, il muschio irlandese emulsionato, l'olio di cocco, il peperoncino chipotle, l'olio chipotle, il sale e il lievito alimentare. Frullare a velocità media, utilizzando lo stantuffo per distribuire uniformemente gli ingredienti fino a ottenere un composto omogeneo.

5. Regola il sale a piacere. Metti il composto al centro del tamale prima di avvolgerlo. Olé!

46. Formaggio di anacardi bleu

- 2 tazze di anacardi crudi
- 1/4 tazza di muschio irlandese
- ½ tazza di acqua filtrata
- 1 cucchiaio di lievito alimentare 1 cucchiaino e mezzo di sale marino celtico
- 2 cucchiaini di olio di cocco raffinato
- 1 cucchiaino di aglio in polvere
- 1 capsula acidophilus (3 miliardi di ceppi di coltura attiva)
- 1/4 tazza di aquafaba (acqua da una lattina da 15,5 once di ceci)
- ½ cucchiaino di spirulina in polvere o spirulina viva congelata

1. Mettere gli anacardi in acqua filtrata in una piccola brocca. Copri e metti in frigorifero per una notte.

2. Risciacquare molto bene il muschio irlandese in uno scolapasta finché tutta la sabbia non viene rimossa e l'odore dell'oceano è sparito. Quindi metterlo in acqua filtrata in una piccola ciotola. Copri e metti in frigorifero per una notte.

3. Scolare il muschio irlandese e metterlo nella ciotola di un Vitamix insieme all'acqua. Frullare ad alta velocità per 1 minuto o fino a quando non sarà emulsionato. Misura 2 cucchiai e riserva il resto.

4. Scolare gli anacardi. In una caraffa pulita del Vitamix, mettere gli anacardi, il muschio irlandese emulsionato, il lievito alimentare, il sale, l'olio di cocco, l'aglio in polvere, l'acidophilus e l'aquafaba.

5. Frullare a velocità media, utilizzando lo stantuffo per distribuire uniformemente il composto. Trasferisci il composto in uno stampo per formaggio.

6. Cospargere la spirulina sul formaggio e, usando una spatola, scolatelo in tutte le direzioni. Non mescolare troppo o il formaggio diventerà verde.

7. Posizionare lo stampo per formaggio nel disidratatore e disidratare a 90 gradi F per 24 ore. Metti in frigorifero per una notte.

8. Servire o conservare in un umidificatore o in una cantinetta per un massimo di 3 settimane.

47. Burrata Vegana

PER CIRCA 2 TAZZE

- 2 tazze di mandorle crude
- 1 cucchiaio di aceto di mele
- 1 cucchiaino di sale dell'Himalaya
- 1/4 tazza di latte di cocco più 1 tazza per ammollo
- 1 cucchiaino di olio di cocco

1. Mettere a bagno le mandorle per almeno 8 ore in acqua filtrata. Per farli germogliare, sciacquare le mandorle con acqua filtrata due volte al giorno per le successive 48 ore. Puoi conservarli, coperti con un pezzo di garza, in un

luogo fresco e asciutto. Ma assicurati di drenare completamente l'acqua ogni volta che li risciacqui. Oppure, se lo desideri, puoi saltare la fase di germinazione e usare semplicemente le mandorle ammollate. Il tuo formaggio sarà comunque delizioso.

2. Porta a ebollizione 4 tazze d'acqua in una casseruola media a fuoco medio-alto. Aggiungere le mandorle e sbollentarle velocemente, per 1 minuto. Scolare le mandorle in uno scolapasta e rimuovere la buccia con le dita (potete compostarle).

3. Nella caraffa di un Vitamix, mettere le mandorle, l'aceto, il sale, ½ tazza di latte di cocco e l'olio di cocco. Frullare a velocità media, utilizzando lo stantuffo per distribuire uniformemente il composto fino a quando non sarà ben incorporato e liscio.

4. Trasferisci gli ingredienti al centro di un pezzo di garza sottile da 8 pollici. Raccogli i bordi e legali in un fascio con lo spago. Appendi il fagottino di formaggio a un gancio sul muro o sul lato inferiore di un mobile. Metti un piattino sotto per raccogliere il liquido. Appendere durante la notte o fino a quando si forma una crosta morbida e scura.

5. Metti la garza in una piccola ciotola e aggiungi la rimanente 1 tazza di latte di cocco. Coprite e mettete a bagno in frigorifero per 3-5 giorni.

6. Prima di servire, tagliare il formaggio a fette e disporlo su alcune verdure fresche con pomodori a cubetti. Prova a versare 1 cucchiaio di latte di cocco in ammollo proprio sopra le fette. Condisci un po 'di olio d'oliva di alta qualità e aceto balsamico sulla tua creazione gourmet, guarnisci

con un po' di pepe macinato fresco e servi. Poi cadi a
terra in estasi. Prego.

48. Formaggio miso giapponese

PER 2 TAZZE DI FORMAGGIO

- 1 tazza di anacardi crudi
- 1 tazza di polpa di cocco fresca da una noce di cocco marrone (non sostituire con i fiocchi di cocco)
- ⅔ tazza aquafaba (liquido di ceci in scatola)
- 1 cucchiaio di olio di cocco, più altro per ungere gli stampini per formaggio
- 2 spicchi d'aglio nero fermentati
- 1 cucchiaio di pasta di miso di ceci
- 1 cucchiaio di lievito alimentare

- 1 cucchiaino di aceto di mele
- 1 rametto di alghe, qualsiasi varietà
- Un pizzico di sale marino celtico a grani grossi
1. Mettere gli anacardi in acqua filtrata in una piccola ciotola. Copri e metti in frigorifero per una notte.
2. Nella ciotola di un robot da cucina frullare i pezzi di cocco fresco fino a ottenere una consistenza farinosa. Coprire e conservare in frigorifero fino al momento dell'uso.
3. Ungere leggermente uno stampo per formaggio rotondo da 4 pollici con olio di cocco.
4. Scolare gli anacardi. Nella caraffa di un Vitamix, metti gli anacardi, il cocco, l'aquafaba e l'olio di cocco. Frullare a velocità media, utilizzando lo stantuffo per distribuire uniformemente il composto fino a quando non sarà ben incorporato e liscio. Potrebbe essere necessario fermarsi e raschiare i lati con una spatola di gomma e poi ricominciare.

5. Trasferire il formaggio nello stampo per formaggio preparato. Posizionare lo stampo per formaggio nel disidratatore e disidratare a 90 gradi F per 24 ore.

6. Togli il formaggio dallo stampo e mettilo nella ciotola di un robot da cucina. Aggiungi l'aglio, il miso, il lievito alimentare e l'aceto. Frullare per 1 minuto o fino a che liscio. Trasferisci il composto in un piccolo piatto da portata decorativo. In alternativa trasferirlo nello stampo preparato e conservare in frigorifero per 24 ore.

49. Ricotta di anacardi montata

PER 2 TAZZE

- 2 tazze di anacardi crudi
- 1/4 tazza di muschio irlandese
- ¾ tazza di acqua filtrata
- 1 cucchiaino di rejuvelac
- 2 cucchiaini di succo di limone fresco
- 2 cucchiai di aquafaba
- 1 cucchiaino di sale marino celtico

1. Mettere gli anacardi in acqua filtrata in una piccola ciotola. Copri e metti in frigorifero per una notte.

2. Risciacquare molto bene il muschio irlandese in uno scolapasta finché tutta la sabbia non viene rimossa e l'odore dell'oceano è sparito. Quindi metterlo in acqua in una piccola ciotola. Copri e metti in frigorifero per una notte.

3. Scolare il muschio irlandese e metterlo nella caraffa di un Vitamix con ½ tazza di acqua. Frullare ad alta velocità per 1 minuto o fino a quando non sarà emulsionato. Misura 2 cucchiai e riserva il resto.

4. In una ciotola pulita di Vitamix, mettere gli anacardi, il muschio irlandese emulsionato, il rejuvelac, la restante ¼ di tazza di acqua e il sale. Frullare a velocità media, utilizzando lo stantuffo per distribuire uniformemente il composto, fermando e avviando fino a quando tutto è ben incorporato.

5. Trasferisci il formaggio al centro di un pezzo di garza sottile da 8 pollici. Raccogli i bordi e legali in un fascio con lo spago.

6. Posizionare il fascio di garza nel disidratatore e disidratare a 90 gradi F per 24 ore.

7. Trasferisci il formaggio nella ciotola di un robot da cucina e frulla fino a ottenere una consistenza leggera e spumosa.

50. Formaggio al cocco e anacardi

FA DUE COLPI DA 4 POLLICI

- 2 tazze di anacardi crudi
- 2 cucchiai di olio di cocco, più altro per ungere gli stampini per formaggio
- 2 tazze di polpa di cocco fresca da una noce di cocco marrone (non sostituire con i fiocchi di cocco)
- 1/4 tazza di aquafaba (liquido dai ceci in scatola)
- 1 cucchiaino di sale dell'Himalaya Petali di fiori commestibili, per guarnire

1. Mettere gli anacardi in acqua filtrata in una piccola ciotola. Copri e metti in frigorifero per una notte.

2. Ungere leggermente due stampini per formaggio da 4 pollici con olio di cocco.

3. Nella ciotola di un robot da cucina, metti il cocco e frulla fino a ottenere una consistenza farinosa. Mettere da parte.

4. Scolare gli anacardi. Nella caraffa di un Vitamix posizionare gli anacardi, il cocco, l'aquafaba, il sale e l'olio di cocco. Frullare a velocità media, utilizzando lo stantuffo per distribuire uniformemente il composto fino a che liscio.

5. Potrebbe essere necessario fermare il frullatore e raschiare i lati alcune volte con una spatola di gomma.

6. Trasferire il composto negli stampini per formaggio preparati. Coprite gli stampini con tondi di carta forno tagliati per adattarli agli stampini.

7. Posizionare gli stampini per formaggio nel disidratatore e disidratare a 90 gradi F per 24 ore. Metti in frigorifero per una notte.

8. Togli il formaggio dagli stampini. Disporre sui piatti e decorare con petali di fiori commestibili.

CONCLUSIONE

Il formaggio è una buona fonte di calcio, un nutriente chiave per ossa e denti sani, coagulazione del sangue, guarigione delle ferite e mantenimento della pressione sanguigna normale. ... Un'oncia di formaggio cheddar fornisce il 20 percento di questo fabbisogno giornaliero. Tuttavia, il formaggio può anche essere ricco di calorie, sodio e grassi saturi. Anche il formaggio è delizioso!!

Ci sono anche prove crescenti che indicano che mangiare una piccola quantità di formaggio dopo un pasto può potenzialmente aiutare a prevenire la carie e promuovere la remineralizzazione dello smalto. Non solo il formaggio contiene una buona quantità di calcio, che supporta denti forti e sani, il formaggio aiuta a creare saliva aggiuntiva in bocca, che aiuta a spazzare via le particelle di cibo attaccate ai denti in modo che non abbiano la possibilità di stabilirsi e causare macchie . I formaggi a pasta dura, come il cheddar, sono i più efficaci, quindi aggiungi 1 oncia. pezzo dopo un pasto che include cibi che macchiano i denti.

Se fatto correttamente, il formaggio fatto in casa è spesso meglio per te rispetto ai formaggi acquistati in negozio o commerciali perché non contengono tanti conservanti o altri ingredienti artificiali dannosi.

Lightning Source UK Ltd.
Milton Keynes UK
UKHW020631280521
384530UK00001B/179